학습과학

원리와 실천적 적용

Applying the Science of Learning

Richard E. Mayer 지음 | 성은모, 임정훈 옮김

아카데미프레스

Applying the Science of Learning
Richard E. Mayer

Pearson
is an imprint of

역자 서문 |

이 책은 2011년에 Richard, E. Mayer 교수가 저술한 'Applying the Science of Learning'을 번역한 것이다. 이 책은 '인간이 어떻게 학습을 하는가?', '학습을 촉진시키기 위해 어떻게 교수설계를 해야 하는가?', '이에 대한 효과성을 어떻게 평가할 것인가?' 하는 문제들을 과학적 연구의 근거를 기반으로 간단하면서도 이해하기 쉽게 정리한 책이다. 이렇게 유용한 책을 혼자만 알고 있을 것이 아니라 교육공학 분야는 물론 교수학습 분야를 연구하는 다양한 동료 및 후학들과도 함께 공유할 수 있으면 좋겠다는 생각이 한국어로 번역을 하게 된 계기가 되었다.

교육공학 분야는 인간이 어떻게 학습하는가에 대한 이론적 근거를 기반으로 학습과 수행을 최고로 나타낼 수 있도록 교수학습 방법을 설계하는 실제적 학문이다. 이러한 관점에서 본 역서는 인간이 어떻게 학습하는가(학습과학: science of learning)에 대한 경험적 연구근거를 기반으로 효과적인 교수학습 방법의 설계(교수과학: science of instruction), 이에 대한 교육적 효과성을 측정(평가과학: science of assessment)하는 데 있어 유용한 가이드라인을 제공할 수 있을 것이라 기대해 본다. 물론 인간이 어떻게 학습을 하는가에 대한 질문은 여전히 탐구의 대상이고, 밝혀진 연구의 증거들도 제한적인 것이 사실이다. 하지만, 본 역서는 지금까지 학습과학, 교수과학, 평가과학 분야에서 밝혀진 과학적 연구결과 중 핵심 내용들을 주요 원리로 구조화하여 제시하고, 그 원리들을 실천적으로 적용한 결과들을 알기 쉽게 사례 중심으로 풀어서 설명해 줌으로써 학습과학이라는 분야를 많은 사람들이 보다 쉽게 접근할 수 있도록 해 준다는 장점을 갖고 있다.

이 책은 기본적으로 학부 수준에서 교육학 및 교육공학, 평생교육, HRD 분야를 공부하는 학생들 중 교육심리학이나 학습심리학, 교수학습이론 등을 선 이수한 3, 4학년 학생들이나, 대학원 수준에서 교수학습의 이론과 실제 분야에 관심이 있는 원생들, 그리고 초 · 중등학교 현장에서 자신이 가르치고 평가하는 방법의 원리를 다시 한 번 성찰해 보고 새로운 교수방법이나 평가 아이디어를 얻기 원하는 교사들에게 유용한 자료가 될 수 있을 것으로 기대된다.

학습과학 분야에 유용한 책을 번역 · 발간하여 이 분야를 공부하는 사람들에게 도움을 주고 싶은 마음에 의욕을 갖고 시작한 일이었지만, 막상 교정을 마치고 책이 출판된다고 생각하니 왠지 두려움이 앞선다. 좀 더 시간적 여유를 갖지 못하고 번역작업을 진행하지 못해 본문 내 오역이 있을 수도 있고, 내용에 있어서 일관성 있는 번역이 이루어지지 못한 부분도 있을 수 있기 때문이다. 출간 이후라도 본문 내 문제가 있는 부분이 발견되거나 오역이 있을 경우, 추후 개정판을 통해 지속적으로 보완하도록 노력할 것을 독자들에게 약속하고 싶다.

본 역서를 번역하는 데 있어 본문 내용 중 논란의 여지가 있는 부분에 대해서 최초에 원저자가 의도했던 생각이나 아이디어를 설명해 주시고, 번역 작업을 진행하는 과정에서 많은 조언을 제공해 주셨을 뿐만 아니라, 한국어 번역 작업에 매우 큰 의미를 부여하고 적극 지지해 주신 Richard, E. Mayer 교수님께 깊은 감사의 말씀을 전하고 싶다. 또한, 공동 번역작업 과정에서 서로의 지식과 경험을 공유하면서 역자들 간 교육공학 분야 선후배로서의 정을 돈독히 할 수 있었던 기회가 된 것에 대해 매우 기쁘게 생각하며, 서로의 배려와 노고로 인하여 본 역서의 수준이 한 단계 더 향상될 수 있었다는 사실에 서로에게 감사를 드린다.

끝으로 본 역서를 흔쾌히 발간하여 주신 아카데미프레스 사장님과 빠듯한 일정을 맞추기 위해 노력해 주신 편집부 임직원들께도 깊이 감사드리며, 이 책이 학습과학 분야 탐구의 여정을 시작하는 많은 사람들에게 작은 이정표가 될 수 있기를 기대해 본다.

2012년 여름이 무르익는 8월에

역자 성은모, 임정훈 씀

리차드 메이어(Richard E. Mayer) 박사는 1975년부터 캘리포니아, 산타바바라 대학교(University of California, Santa Barbara)의 심리학과 교수로 재직 중에 있다. 메이어 교수는 1973년 미시간 대학교(University of Michigan)에서 심리학 박사를 받았으며, 1973년과 1975년에는 인디애나 대학 (Indiana University)에서 객원 조교수로 재직하였다. 그의 연구관심 분야는 교육과 인지심리 분야이며, 현재는 멀티미디어 학습과 컴퓨터 기반 학습에 초점을 두고 인지, 교수, 그리고 테크놀로지의 교육적 효과성에 대해 연구를 하고 있다. 그는 Division of Educational Psychology of the American의 회장, *Educational Psychologist*의 편집장, *Instructional Science*의 공동 편집장, UCSB 심리학과 학과장 등을 역임하였다. 2000년에는 교육 심리학 분야의 연구 업적을 인정받아 E. L. Thorndike 상을 수상하였고, 2008년에는 American Psychological Association으로부터 교육·훈련 분야에서 심리학의 적용에 대한 공로를 인정받아 최고의 상을 수상하기도 하였다. 또한 1991~2008(*Contemporary Educational Psychology*, 2003; 2009) 동안 가장 연구 업적이 많은 교육심리학자로 이름을 올렸다. 현재 그는 American Educational Research Association의 Division C(Learning and Instruction) 분야의 부회장으로 있으며, 교육심리학 주요 14개 학술지의 편집자, 그리고 1981년부터 California, Goleta의 지역 학교 위원회로 활동 중에 있다. 메이어 교수는 "Multimedia Learning" (2009), "Learning and Instruction" (2008), "E-Learning and the Science of Instruction" (R, Clark, 2008 공저), 그리고 "Cambridge Handbook of Multimedia Learning" (2005, 편저) 등과 같이 25권의 책과 400편 이상(저자와 편저자)의 학술논문을 저술하였다.

학습과학 원리와 실천적 적용

교육의 가장 중요한 임무는 인간의 학습을 돕는 것이다. 학습과학은 인간이 어떻게 학습하는가를 과학적으로 연구하는 것이다. 이 책은 교육에서 학습과학을 어떻게 적용할 것인가를 검증하기 위한 두 가지의 노력을 동시에 이끌기 위해 시도된 것이다. 이 책에 깔려 있는 전제는 만약 여러분이 인간의 학습을 도와주기를 원한다면, 여러분은 학습이 어떻게 이루어지는가에 대한 지식을 획득하는 데 유용한 도움을 줄 수 있다는 것이다. 간단히 말해서, 교육을 향상시키기 위한 여러분의 노력은 여러분이 학습과학을 실천함으로써 가능하게 된다는 것이다.

학습과학의 적용은 심리학자들이 학습에 대해 발견한 것을 교수 설계를 향상시키기 위해 활용하는 것과 같이 간단하게 일방향적인 과정이 아니다. 오히려, 학습과학의 적용은 학습, 교수, 평가와 같은 교육에 있어서의 필수적인 세 가지 요소들의 상호관련성을 고려해야만 한다. 이러한 세 가지 요소들의 상호관련성에 대한 여러분의 이해를 돕기 위해서, 필자는 이 세 가지 요소들을 학습과학, 교수과학, 그리고 평가과학이라는 주제로 구조화하여 저술하였다.

● **학습과학** 첫 번째 단계는 교육과 가장 관련성이 높은 학습과학의 특성을 파악하는 것이다. 100년 이상의 역사를 가지고 있는 학습과학은 실험실 상황에서 동물실험에서의 학습 또는 교육과 관련성이 떨어지는 실험실 과제를 해결하는 상황아래에서 이루어지는 학습에 초점을 두어왔다. 하지만, 최근에는 인간이 교육과 관련된 과제를 어떻게 학습하는지를 이해하려는 진보된 관점을 보여줌으로써 교육과 관련한 학습과학의 구성을 보다 견고하게 만들고 있다. 이 책에

서는 필자가 교육과 가장 밀접한 관련성이 있다고 생각하는 학습과학의 특징
을 여러분에게 강조하고자 한다.

- **교수과학** 둘째로, 인간이 어떻게 학습하는지를 완전하게 이해했을지라도, 그 이
해가 교수를 위한 처방으로 전환하기에는 충분하지 않다는 것이다. 필요한 것
은 인간이 언제, 어떻게 학습하였는지를 검증하기 위하여 학습과학에 의해서
제안된 교수방법의 효과성을 평가하는 방법이다. 이것이 이 책에서 필자가 여
러분에게 강조하고 싶은 교수과학의 과제이다.

- **평가과학** 셋째로, 어떠한 학습과학 원리의 실천적 적용에 대한 시도도 학습한
것을 정확하게 측정할 수 없다면 불완전한 것이다. 바람직한 학습결과의 명확
한 진술은 교수설계를 위해 필수적이고, 획득한 학습결과의 명확한 진술은 교
수 효과성을 평가하기 위해 필수적이다. 이 책에서 필자는 평가과학의 주요 특
성을 강조하고 여러분들에게 교수와 어떻게 관련되어 있는지를 설명하고자 하
였다.

100년 이상 심리학자들은 학습이 어떻게 이루어지는지를 밝히고자 노력해왔으며,
교육자들은 교육을 향상시키기 위한 학습과학의 적용에 대해 끊임없이 관심을 가져
왔다. 이 시기를 되돌아보면, 학습과학의 적용에 대한 시도는 비교적 성공하지 못한
것으로 풀이된다. 대부분의 학습연구는 교육적으로 관련 있는 과제들에 있어 인간이
어떻게 학습하는지를 설명하는 것에 초점이 맞춰져 있지 않았기 때문이다. 하지만,
최근 25년 사이에는 교육적으로 관련 있는 학습과학의 비약적인 발달이 있어왔다. 만
약 여러분이 인간의 학습을 도와주기 위해 과학적 접근에 관심이 있다면, 이 책은 여
러분들에게 매우 유용하게 활용될 것이다.

이 책에서 필자의 목적은 학습과학, 교수과학, 그리고 평가과학에 대한 근본적인
이론을 소개하는 것이다. 이를 위해 필자는 다음과 같이 이 책을 저술하였다.

- **간결성과 집중성** 각 주제영역의 내용을 아주 자세하게 다루기보다는 학습, 교수,
그리고 평가에서 근본적으로 다루어야 할 핵심적인 정보를 요약하는 형태로
여러분에게 제공하고자 하였다. 여러분이 압축된 형태로 근본적 아이디어에
집중할 수 있도록 불필요한 문단, 문장, 또는 단어조차 사용하지 않으려 최대한
노력하였다.

- **모듈화와 멀티미디어** 각 페이지와 페이지를 넘어가는 정보를 제공하기보다는 특정한 목표를 갖고 있는 하나의 단위 내용이 한 번에 이해될 수 있도록 모듈화된 설계방식으로 책을 구성하였다. 모든 내용을 언어로 전달하기보다는 여러분이 내용을 이해하고 조직하는 것을 도와주기 위하여 그림과 문자를 적절히 배합하였다.

- **명료성과 구체성** 필요한 전문용어의 정의와 구체적인 사례를 제공하여 명확한 형태로 내용을 작성함으로써 여러분에게 분명하고 직접적으로 내용을 전달하고자 하였다.

- **개인적 그리고 친근함** 형식적이고 학술적 형태로 작성하기보다는 마치 친구와 대화하는 것과 같이 여러분에게 전달하는 방식으로 작성하였다. 이를 위해 각 장의 말미에 주요 참고문헌과 읽을거리 등을 제공함으로써 본문에는 학술적인 참고문헌을 최소화하였다.

누구를 위하여 이 책을 작성하였는가? 필자는 이 책을 집필하면서 필자에게 "학습과학의 원리를 적용하기 위해 제가 무엇을 알아야 하나요?"라고 교육을 향상시킬 방법을 물어보는 여러분을 상상하였다. 이 책은 30여 년 가까이 학습과학의 원리와 실천적 적용이라는 연구를 수행하면서 쌓아온 경험을 바탕으로 여러분의 질문에 필자가 진심으로 답할 수 있는 변변치 않은 시도인 것이다. 즉, 만약 여러분이 학습과학이 교육을 향상시키기 위한 공헌을 해야 한다는 것에 관심이 있다면, 이 책이 바로 여러분을 위한 책이 될 것이다. 필자는 교육 또는 심리학 분야의 학부생, 교사나 예비교사, 교수 설계자나 교수자를 포함하여 학습과학의 초보자를 위해 이 책을 집필하였다. 하지만, 보다 많은 교육적 경험을 갖고 있는 독자들을 대상으로 이 책이 유용하게 활용되길 기대해 본다. 이 책은 필자의 저서인 "Learning and Instruction"과 더불어 수업에서 핵심 교재로 활용될 수도 있지만, 독자적으로 학습과학의 적용을 소개하고 안내하는 데에도 활용될 수 있을 것이다.

필자는 이 책의 내용을 일 년 여 동안 머릿속으로만 생각해 왔는데, 최근 미국심리학회에서 교육과 훈련에서 심리학의 적용에 대한 공로상을 수상한 이후 필자의 생각을 책으로 작성해 보자는 결심을 하게 되었다. 책을 집필하면서 실제로 놀라운 일이 필사에게 발생하였는데, 학습과학의 원리와 실천적 적용에 대한 필자의 생각이 종이 위에 펼쳐지는 것을 보면서 보다 더 명확하게 필자의 생각이 정교화되는 것을 경험하게 되었다. 이 책을 집필하는 것은 나에게 큰 기쁨이 되었다. 교사로서 자신이 알고 있는 어떤 것을 누군가에게 설명하기 위해서는 그 내용에 대해서 교사 본인이 철저하게 이해해야만 한다. 그러한 경험이 필자가 학습과학의 원리와 실천적 적용이라는 의미를 여러분에게 설명하는 과정에서 발생하게 되었다. 이 책의 내용에 대해 여러분의 조언과 제안이 있을 경우 필자의 이메일 주소로 자유롭게 연락을 해주기 바란다 (mayer@psych.ucsb.edu).

교사들에게 전하는 말

1800년대 후반에 유명한 미국의 심리학자인 William James는 교육에서 "Science of mind's law"를 어떻게 적용할 것인지에 대해서 교사들에게 설명하기 위해 전 미국을 순회하였다. 그의 이야기는 1899년에 『교사들에게 전하는 말(talks to teachers)』[1]이라는 책으로 뒤늦게 출판되었다. 이 책의 목적도 비슷한데, William James는 교육에 있어 학습과학의 원리와 실천적 적용(물론, 이런 분야가 아직까지 정립되지 않았을지라도)이라는 의미에 관심을 가지고 있었다.

1899년 학습과학의 원리와 실천적 적용에 대해서 William James가 교사들에게 전하는 말

"완전하게 전문화된 훈련을 위한 학교교사들의 바람과 그들의 과업에서 전문적 정신을 향한 염원은 정신의 작용에 대한 근본적인 원리를 더욱더 갈망하도록 하였고, 이는 여러분이 관장하는 여러 개의 수업을 보다 쉽고 효과적으로 수행할 수 있도록 가능하게 할 것이다."

교사들에게 전하는 William James의 이야기는 학습과학의 적용을 위해 중요한 두 가지 장애물을 재구조화하였다. 첫째, 학습 연구자들은 교육적으로 관련 있는 학습과학을 아직까지 개발하지 못하였다는 것이다.

문제 1: 학습과학은 교육적으로 관련성이 있는가?

심리학은 교사들에게 급진적인 도움을 확실하게 제공할 수 있다. 그리고 솔직히

---

1) James, W. (1899/1958). Talks to teachers. New York Norton.

고백하자면, 여러분의 기대치와 비교해 보았을 때 정신에 대한 간단한 이야기를 듣고 난후에 충분하지 않은 결과에 다소 실망을 할까 봐 약간 염려가 된다.

둘째, 학습과학은 교수프로그램에 직접적으로 전이되는 것이 아니다. 여러분은 이론에 기반한 교수방법이 언제 어떻게 작동하는지를 결정하는 것을 목표로 하고 있는 교수과학을 필요로 한다.

문제 2: 교수과학은 어디에서 오는가?

만약 여러분이 심리학(Science of mind's law와 같이)을 교실에서 즉각적으로 활용할 수 있는 확실한 교수프로그램, 교수전략, 교수방법을 추론할 수 있다고 생각한다면, 매우 큰 실수를 범하는 것이다.

교사들에게 전하는 말이 출판된 지 100년 이상이 된 오늘날 우리는 마침내 교육적으로 관련성 있는 학습과학과 이론적 교수방법이 효과적으로 검증된 교수과학을 기반으로 하는 시대에 살게 되었다. 여러분은 과거에 경험했던 장애물들을 극복할 수 있는 시도로서 현대판 『교사에게 전하는 말』을 가진 것으로 이 책을 생각할 수 있을 것이다.

감사의 말

이 책이 출판될 수 있도록 읽고 수많은 도움을 준 동료들, Lorin Anderson, Dick Clark, Ruth Clark, Art Graesser, Diane Halpern, Harry O'Neil, 그리고 John Sweller 에게 진심으로 감사를 드립니다. 나의 멘토이자 스승님뿐만 아니라 몇 년 동안 공부와 연구를 함께해 온 많은 학생들과 동료들에게 감사를 표합니다. 나에게 훌륭한 연구환경과 필자를 둘러싼 명석하고 활기 넘치는 학생들과 동료들이 있는 Santa Barbara의 University of California에 깊은 감사를 전하고 싶습니다. 이 책을 출판할 수 있도록 아낌없이 지원을 해준 출판 관계자 분들께 진심으로 고마움을 전합니다. 이 책을 검토해준 University of Nebraska의 Douglass Kauffman, California State-Polytechnic University의 Stefanie Saccoman에게 감사를 전하고 싶습니다.

그리고 가족은 나에게 있어 매우 중요한 삶의 일부분입니다. 필자의 기억 속에 항상 살아계시는 부모님인 James와 Bernis Mayer에게 깊은 애정을 담아 감사의 마음을 전하고 싶습니다. 나의 삶에 기쁨을 준 아들 Ken, Dave, 그리고 딸 Sarah, 언제나 웃음을 주는 손자 Jacob과 Avery에게 감사의 말을 전하고 싶습니다. 마지막으로 나의 인생을 달콤하게 만들어준 아내 Beverly에게 진심으로 감사의 마음을 전하고자 합니다.

Richard E. Mayer

Santa Barbara, California

필자는 "Applying of the Science of Learning"이 성은모 박사님과 임정훈 교수님에
의해 한국어로 번역되어 출판하게 된 것에 기쁘게 생각하며 이 글을 씁니다. 필자는
2011~2012년 동안 University of California, Santa Barbara에서 박사 후 연구원으로 있
던 성은모 박사님과 함께 연구를 하게 되어서 매우 기쁘게 생각합니다. 우리는 교육
공학 분야에서 수많은 재미있는 연구 프로젝트를 함께 수행해 왔으며, 몇 개의 연구
결과들은 벌써부터 연구주제와 적합한 SSCI 학술저널에 게재되는 성과를 거두기 시
작하였습니다. 성 박사님과 함께 연구하는 과정으로 보건대, 이 책의 한국어 번역에
있어 더 이상 질적으로 확인할 필요가 없을 정도로 연구의 질적 측면에서 우수함을
필자에게 보여주었습니다. 필자는 이 책을 성 박사님과 임 교수님께서 주의 깊고 훌
륭하게 번역해 주신 것에 대해 진심으로 깊은 감사를 드립니다.

    "Applying of the Science of Learning"의 한국어 번역은 특별한 의미가 있는데,
한국에서 교육이란 매우 중요한 주제이기 때문입니다. 한국 교육은 성공적으로 학생
들의 학업 성취도를 최고의 수준으로 끌어올리는 것에 대해 세계 여러 나라들에게 존
경의 대상이 되고 있습니다. 한국 학생들은 TIMMS나 PISA와 같은 국제 교육 평가에
서 최고 수준에 가까운 능력을 끊임없이 보여주고 있습니다. 이러한 교육의 가치를
최우선시하는 한국 사회에서 필자의 책이 출판되어 접근성이 높아졌다는 것에 대해
매우 기쁘게 생각하고 있습니다.

    인간이 어떻게 학습하는가? 인간을 어떻게 가장 잘 가르칠 수 있는가? 인간이 어
떻게 학습했다고 말할 수 있는가? 만약 여러분이 이러한 질문에 관심을 가지고 있다
면, 이 책은 여러분을 위한 것이 될 수 있을 것입니다. 이 책에서 필자의 목적은 연구
결과로 언급되고 있는 내용, 즉 어떻게 인간이 학습하는지(학습과학), 어떻게 인간의
학습을 도와줄 수 있는지(교수과학), 그리고 인간이 학습한 것을 어떻게 측정할 수 있

는지(평가과학)와 같이 교육에 있어 과학적 접근을 이끌기 위한 것입니다. "Applying of the Science of Learning" 에서 필자는 이에 대한 각 영역의 핵심 아이디어에 대해서 간결하고 명확한 방식으로 여러분들에게 소개하고자 하였습니다.

　이 책은 학생들을 가르침으로써 어떻게 이들의 학습을 향상시킬 수 있을 것인가에 대한 실천적 적용에 관심이 있는 사람들을 위해 집필되었습니다. 학습과학의 원리와 실천적 적용은 교수자들에게 유용한 가이드라인을 제공해 줄 수 있는 과학적 연구의 총체라 할 수 있습니다. 그래서 이 책은 근거 기반 접근(evidence-based approach)의 관점을 견지하며 작성하였습니다. 만약 이 책이 교육을 향상시키기 위한 근거 기반 접근의 가치를 여러분에게 볼 수 있도록 한다면, 필자는 아마도 성공했다고 생각할 것입니다.

　필자는 이 책의 내용에 대해 여러분의 어떤 조언이나 질문도 기꺼이 받아들일 준비가 되어 있습니다. 만약 이러한 내용이 있다면 mayer@psych.ucsb.edu 메일로 거리낌 없이 연락을 주셔도 좋습니다.

　다시 한 번, 필자의 책이 한국어 판으로 번역되어 출판될 수 있도록 번역을 해준 성은모 박사님과 임정훈 교수님, 그리고 이 책이 출판될 수 있도록 아낌없이 지원과 협조를 해주신 출판사 관계자 여러분께 깊은 감사의 말씀을 드립니다.

차 례 |

서 론　　　　　　　　　　　　　　　　　　　　　　　19

제1부　학습은 어떻게 이루어지는가?　　　　　　35

제2부 교수는 어떻게 이루어지는가? 　89

제3부 평가는 어떻게 이루어지는가?   135

서 론

인간의 학습을 도와주는 것이 교육의 주요 목적이다. "학습과학의 적용"은 인간의 학습을 도와주는 연구기반 교수방법을 개발하기 위하여, 인간이 학습하는 방법에 관해 우리가 알고 있는 지식을 활용하는 것과 관련되어 있다. 이러한 목적을 달성하기 위해서는 학습이 어떻게 작동하는지(즉, 학습과학), 교수가 어떻게 이루어지는지(즉, 교수과학), 그리고 평가가 어떻게 진행되는지(즉, 평가과학)를 이해하는 것이 매우 유용하다. 서론에서는 이 같은 세 가지 요소들을 개괄적으로 설명하고자 한다.

서론에서 다루는 주요 내용

1. 세 가지 주요 영역: 학습, 교수, 평가
2. 학습과학의 적용이 중요한 이유
3. 학습과학의 적용이란 무엇인가?
4. 학습과학과 교수과학 간의 관련성에 관한 역사적 개관
5. 중첩목표로서 학습과학과 교수과학 간의 관련성 검토

I　세 가지 주요 영역: 학습, 교수, 평가

이 책은 인간의 학습을 돕는 방법에 대한 과학적 접근에 관심이 있다. 만약 누군가가 학습하는 것을 돕기를 원한다면, 다음과 같은 세 가지 주요 연구기반(research-based) 요소들로부터 도움을 얻을 수 있다.

1. *학습과학* — 어떻게 학습이 작동하는지에 관한 연구기반 이론 창출을 추구하는 분야
2. *교수과학* — 학습을 촉진시키기 위한 효과적인 교수방법 탐색을 추구하는 분야
3. *평가과학* — 학습시 학습자의 지식, 특성, 인지적 과정을 기술하는 도구 고안을 추구하는 분야

학습, 교수, 평가 이 세 가지 요소들은 아래 그림처럼 나타낼 수 있다. 학습(*learning*)은 교육 프로세스의 중심에 있기 때문에 그림의 중앙에 위치하고 있다. 교육의 목적은 학습자 내면에서 기대하는 변화가 나타나도록 하기 위한 것이며, 이 변화를 *학습*이라고 부른다. *교수(instruction)*는 학습을 야기시키기 위한 의도가 있기 때문에 학습을 이끄는 화살표 좌측에 위치해 있다. 교육자들의 중요한 업무는 학습자들의 변화를 촉진시키는 데 효과적인 교수방법들을 활용하는 것이다. *평가(assessment)*는

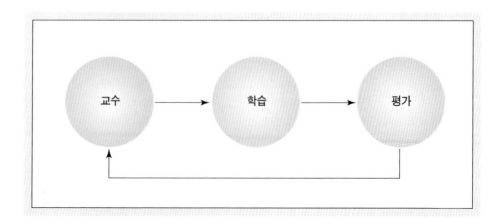

학습한 것(그리고 그 학습을 산출해 낸 인지적 과정)에 대한 설명을 제공하기 때문에, 학습으로부터 나오는 화살표 우측에 위치해 있다. 어떠한 형태로든지 평가 없이는 학습이 발생했는지의 여부를 판단하기가 불가능하다. 부가적으로, 평가에서 교수로 되돌아가는 화살표는 학습자가 알고 있는 지식과 학습하는 방법을 포함하여 학습자를 기술하는 것이 교수를 계획하는 데 있어 유용하다는 것을 보여준다.

요컨대, 학습을 증진시키기 위한 방법을 이해하기 위해서는 교육에 있어서 매우 밀접한 관련성을 맺고 있는 학습, 교수, 평가 세 가지 요소들을 알 필요가 있다. 이 책의 내용은 이 세 가지 각각의 요소들에 대해 소개하는 내용들로 구성되어 있다.

학습과학이란 무엇인가?

정의:　인간이 학습하는 방법에 대한 과학적 탐구

목적:　학습이 작동하는 방법에 대한 연구기반 모델 정립

준거:　검증 가능한 이론인지의 여부

교수과학이란 무엇인가?

정의:　인간학습을 돕는 방법에 대한 과학적 탐구

목적:　특정 환경하에서 특정 유형의 학습자들에게 특정 유형의 지식을 가르치기 위해 어떤 교수 방법이 적절한지를 나타내는 교수설계에 관한 연구기반 원리들의 정립

준거:　근거에 기반한 교수방법인지의 여부

평가과학이란 무엇인가?

정의:　인간이 알고 있는 것을 밝혀내기 위한 방법에 대한 과학적 탐구

목적:　학습 결과와 과정, 학습능력을 측정하기 위한 타당하고 신뢰로운 도구 개발

준거:　도구가 타당하고 신뢰로운지의 여부

이 책은 학습, 교수, 평가에 대해 과학적 접근을 취한다. 학습과학은 인간의 학습 방법에 대해 검증 가능한 이론을 개발하는 것과 관련되어 있다. 학습이론이 검증이

가능하다면, 즉 이론이 틀리다는 것을 보여줄 수 있는 자료들을 찾아내는 것이 이론적으로 가능하다면 과학적이라 할 수 있다. 교수과학은 인간학습을 돕기 위한 근거기반 방법들을 발견하는 데 관심이 있다. 교수방법은 그것이 연구를 통해 도출된 근거에 기반을 둘 때, 즉 방법론적으로 건전한 탐구를 통해 효과적이라는 것을 입증해 줄 때 과학적이라 할 수 있다. 평가과학은 학습의 결과, 과정, 학생들의 능력을 측정하는 타당하고 신뢰로운 방법을 설계하는 데 관심이 있다. 평가는 측정이 타당할 때(즉, 목표하는 바를 측정하는 데 유용할 때), 신뢰로울 때(즉, 평가를 수행할 때마다 동일한 측정치를 제공할 때) 과학적이라 할 수 있다.

학습과학의 적용이 중요한 이유 2

이 책의 목표는 인간의 학습을 돕는 방법을 이해하도록 하는 것이며, 그 목표에는 "학습과학의 적용"이란 무엇인가 하는 것도 포함된다. 이 목표를 달성하기 위해서는 학습, 교수, 평가가 각각 어떻게 작동하는지를 이해할 필요가 있다.

학습이 중요한 이유

인간에게 있어 무엇이 특별한지 생각해 보자. 왜 우리들은 살아남을 수 있고, 종(種)으로 성공할 수 있었나? 그것은 우리의 강함(다른 동물들은 더 강하다), 우리의 크기(다른 동물들은 더 크다), 우리의 속력(다른 동물들은 더 빠르다) 또는 우리의 위장술(다른 동물들은 그들의 환경에 더 잘 적응한다) 때문이 아니다. 우리들을 특별하게 하는 것은 학습이라는 우리 고유의 특별한 능력, 즉, 지식을 생성하고 사용할 줄 아는 능력 때문이다. 유명한 발달 심리학자 Jean Piaget에 의하면, 인간은 환경에서 살아남기 위해 지식을 구성한다고 한다. 학습을 통해 산출해 내는 우리의 정신적 표상들은 우리들이 원하는 것을 얻을 수 있도록 돕고 우리들이 생존하는 것을 가능하게 한다는 것이다. 요컨대, 학습하는 능력은 우리 종(種)의 강력한 재능인 셈이다.

교수가 중요한 이유

모든 인간 사회는 다음 세대를 가르치는 것을 돕기 위해 우리의 학습 능력을 이용하는 방법들을 개발해 왔다. 즉, 사회의 새로운 구성원들이 그들의 생존에 필요한 지식을 형성하는 것을 돕는 방법을 개발해 왔다는 것이다. 교육이란 인간의 삶을 향상시키는 방법을 습득하기 위하여 인간의 능력을 활용하려는 시도라 할 수 있다. 교수는 학습을 촉진시키기 위해 의도된 경험에 학습자들을 노출시키는 것을 포함한다. 교수는 부모, 형제, 동료들의 관찰을 통해 행동하는 방법을 배우는 아이들처럼 비형식적일 수도 있고 학교에서 일어나는 것처럼 형식적일 수도 있다. 오늘날 널리 퍼져 있는 의무교육은 인간의 역사에서 1800년대 산업화 사회에서 나타나기 시작한 비교적 새로운 제도이다. 만약 지식이 인간 사회에 있어서 성공을 위한 핵심 요소라면, 교수는 인간이 지식을 개발할 수 있도록 도와주는 중요한 도구라 할 수 있다.

평가가 중요한 이유

모든 교수적 경험이 동일하게 효과적인 것은 아니기 때문에, 서로 다른 교수적 경험 하에서 인간이 무엇을 배우고, 어떻게 배우는지를 알아내기 위한 방법이 필요하다. 이것이 바로 평가의 역할이다. 누군가가 무엇인가를 학습했다고 어떻게 말할 수 있는 가? 학습하는 동안 학습자들이 어떤 인지적 과정을 거치고 있었는지에 관해 어떻게 말할 수 있는가? 학습자들의 학습능력에 관해 어떻게 말할 수 있는가? 이것은 모두 평 가를 통해 다루어지는 질문들이다. 평가는 우리가 교수의 효과성을 측정할 수 있도록 해 주고, 그럼으로써 교수과정을 안내해 주기 때문에 매우 중요하다.

학습, 교수, 평가가 중요한 이유

요소	중요성
학습	우리의 생존을 위해 필요한 지식을 창출할 수 있도록 한다.
교수	학습의 과정을 증진시킨다.
평가	교수의 과정을 안내해 준다.

학습과학의 적용이란 무엇인가?

학습과학(Science of Learning; SOL)을 적용하고 활성화하는 것은 동전의 양면 관계와 같다. 학습과학을 적용한다는 것은 실제적 과제(authentic tasks)를 학습하는 인간을 돕기 위한 교수설계의 효과를 증진시키기 위하여 인간의 학습방법에 관해 우리가 알고 있는 것을 사용하는 것을 의미한다. 요컨대, 목표가 인간이 학습하는 것을 돕는 것이라면, 인간이 어떻게 학습하는지를 이해하는 것은 중요한 일이다.

학습과학을 활성화한다는 것은 실제적 과제에 학습이 어떻게 작동하는지를 설명할 수 있기 때문에 학습이론을 확장하는 것이라고 할 수 있다. 1900년대 중반에, 배고픈 생쥐가 미로를 달리게 하는 방법과 무작위 단어 목록을 기억하게 하는 방법에 관한 연구는 학습의 일반 이론을 만드는 데 실패했다는 것을 명백히 드러냈다. 1900년대 중반에 사라지게 된 학습이론이 교육실제에의 도전을 통해 구제받지 못했다는 것은 의심해 볼 만한 여지가 있다. 학습과학은 교육자가 인간이 실제적 과제―인용구를 읽는 방법, 에세이를 쓰는 방법 또는 수학 문제를 해결하는 방법―를 학습하는 것에 대한 특정 이론을 요구할 때 활성화되거나 다시 살아나게 된다. 요컨대, 목표가 인간이 어떻게 학습하는지를 이해하는 것이라면, 실제적 상황에서 일어나는 학습을 탐구해 보는 것이 유용하다.

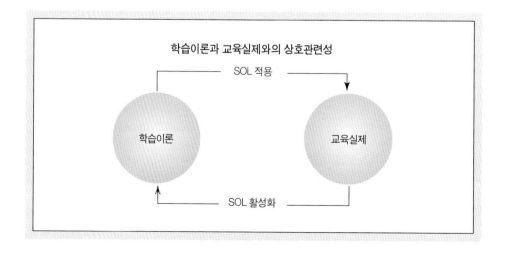

학습과학(SOL)의 적용과 활성화

목표	결과
학습과학(SOL) 적용	교육적으로 적절한 학습과학을 정립하는 것은 교육실제를 개선한다.
학습과학(SOL) 활성화	교육실제를 증진시키기 위한 시도는 학습과학을 발전시킨다.

학습과학과 교수과학 간의 관련성에 관한 역사적 개관 4

학습, 교수, 평가 세 가지 주요 요소들을 고찰하기에 앞서 이들 간의 관계, 특히 학습과학(Science of Learning; SOL)과 교수과학(Science of Instruction; SOI) 간의 관련성에 대해 검토해 보는 것은 매우 유용하다. 아래의 표는 학습과학과 교수과학 간의 관계를 세 국면—일방향 통행길(One-Way Street), 막다른 길(Dead-End Street), 쌍방향 통행길(Two-Way Street)—으로 요약하고 있다.

학습과학과 교수과학 간의 관련성에 관한 역사적 개관

국면	시기	설명
일방향 통행길	1900년대 초	기초 연구가들이 학습과학을 정립하고, 실행가들은 그것을 적용한다.
막다른 길	1900년대 중반	기초 연구가들이 고안된 학습 상황에 기반한 학습이론(SOL)을 만들고, 그것은 적용 연구가들에 의해 무시된다. 적용 연구가들은 이론에 기반하지 않은 교수원리들(SOI)을 만들고, 그것은 기초 연구가들에 의해 무시된다.
쌍방향 통행길	1900년대 후반과 그 이후	연구가들은 실제적 학습 상황에서 학습이론 (SOL)을 그 이후 검증하고, 이론에 기반한 교수원리들(SOI)을 검증한다.

20세기 초반에는 과학이 사회의 문제를 해결할 수 있을 것이라는 희망이 높았다. 이 견해에 따르면, 심리학자들은 학습이 이루어지는 방법에 대한 기초 연구를 실시하고자 했고, 교육자들은 그들의 교실에서 그 이론을 적용하고자 했다. 커뮤니케이션 라인이 학습이론으로부터 교육실제로 단 하나의 방향으로만 진행되기 때문에 이것을 "일방향 통행길(One-Way Street)" 관계라고 명명할 수 있다. 일방향 통행길적 접근은 두 가지 중요한 이유로 인해 성공적이지 않았다. 첫째, 그 시대의 심리학자들은 학습이론에 대한 합의를 도출해 낼 수 없었다. 둘째, 비록 심리학자들이 학습이론을 창출

했다 하더라도 그 이론은 교육실제에 직접적으로 적용될 수 없었다.

1900년대 중반에는, 필자가 막다른 길이라고 명한 관계, 즉 미로에서 달리고 있는 생쥐 또는 무작위의 단어 목록들을 기억하게 하는 것과 같이 고안된 연구실 상황에서 학습이 어떻게 이루어지는지를 연구하는 기초 연구자들과, 어떻게 교수가 이루어지는지에 대한 아무런 고려 없이 어떤 교수방법이 최고인지에 집중하는 응용 연구자들의 관계로까지 악화된다. 이 기간 동안 학습과학을 연구하는 심리학자들과 교수과학에 관심을 갖고 있는 교육자들 사이에는 커뮤니케이션이 거의 일어나지 않았다.

20세기의 후반에 이르러서야 커뮤니케이션이 좀 더 호혜적인 방법으로 열리기 시작했다. 교육자들은 읽는 방법, 쓰는 방법, 수학문제를 해결하는 방법, 또는 과학적으로 사고하는 방법을 학습하는 것 같은 실제적 과제에서 학습을 설명할 수 있는 이론을 개발하기 위하여 학습이론가들에게 질문을 제기했다. 이러한 질문들에 답하려고 시도하는 과정에서 학습과학 연구자들은 보다 강력하고 유용한 학습이론들을 개발할 수 있었다. 교수과학은 각각의 방법이 학습자의 인지적 과정에 어떠한 영향을 미치는지에 근거를 둔 교수방법들에 대한 보다 효과적인 검증방법을 개발할 수 있는 이익을 얻게 되었다. 학습과학과 교수과학 간의 이 같은 새로운 호혜적 관련성을 언급하기 위해 "쌍방향 통행길(Two-way Street)"이라는 용어를 사용하고자 한다. 필자의 견해로는, 쌍방향 통행길적 접근이 학습과학과 교수과학 모두에게 최상의 가능성을 제공한다고 생각한다.

관계의 각 국면에서 학습과학(SOL)과 교수과학(SOI) 내에 무슨 일이 발생하는지 사례를 살펴보도록 하자.

학습과학과 교수과학 간 관련성의 사례

국면	학습과학(SOL)에서의 사례 쟁점	교수과학(SOI)에서의 사례 쟁점
일방향 통행길	동물들은 실험실 안에서 먹이를 얻기 위해 막대 누르기를 학습한다.	학생들은 반복훈련과 연습을 통해 문제에 답하는 것을 배운다.
막다른 길	단어 목록에 기반한 학습 규칙은 무엇인가?	학생은 파닉스와 통 단어 학습 중 어느 방법으로 읽기를 더 잘 학습하는가?
쌍방향 통행길	읽기 학습의 원리는 무엇인가?	읽기를 학습하는 학생을 어떻게 도울 수 있는가?

예를 들면, "일방향 통행길" 국면에서 심리학자들은 실험실 동물들의 반응 학습에 보상과 벌이 어떻게 영향을 미치는지 연구했다. 그리고 교육자들은 학생들이 사실적 질문에 답하는 방법을 가르치기 위해 반복훈련과 연습을 사용함으로써 연구결과를 적용했다. 예를 들면, 학생은 정확한 답에 대해 선생님이 "맞았어"라고 말하는 것 같은 보상과 부정확한 답에 대해 선생님이 "틀렸어"라고 말하는 것 같은 벌을 받았다. "막다른 길(Dead-End Street)" 국면에서 심리학자들은 인간이 단어 목록을 배우는 방법에 기반이 되는 원리를 결정하는 것 같은 고안된 실험실 환경하에서 학습 연구를 계속 실시했다. 반면에, 교육자들은 예컨대 어떻게 작동하는지에 대한 이론적 근거 없이 읽기를 가르치는 방법에 대한 두 개의 상이한 방법을 비교했다. 마침내 "쌍방향 통행길" 시기에 이르러서, 심리학자들은 아이들이 어떻게 읽는 것을 배우는지와 같은 실제적 과제의 학습에 대한 연구로 그들의 관심의 초점을 확장시켰다. 반면에, 교육자들은 예컨대 방법이 학습에 어떻게 영향을 미치는지에 관한 증거와 이론적 기반에 기초하여 학습자가 읽기를 학습하는 것을 돕기 위한 방법에 집중했다. 오늘날, 학문적 발전은 쌍방향 통행길의 방법을 따라 이루어지고 있다. 사실, 인지과학에 대한 학제적 접근방법의 성장은 우리들이 다양한 학습 목표를 위해 불규칙한 경사로뿐만 아니라 다수의 문하생들을 위한 다차선의 초고속도로를 따라 이동할 것을 제안한다.

5 중첩목표로서 학습과학과 교수과학 간의 관련성 검토

학습과학에 의해 입증된 기초 연구와 교수과학에 의해 입증된 응용 연구의 특성에 관한 다양한 논란이 존재한다. Donald Stokes는 그의 책『파스퇴르의 사분면(Pasteur's Quadrant)』에서 연구자가 가질 수 있는 네 가지의 가능한 연구목표를 상세히 묘사함으로써 이러한 논란을 떨쳐버릴 수 있도록 도와준다.

- 이론적 목표(순수한 기초 연구로서 아래 그림의 좌하 사분면을 가리킴)
- 실제적 목표(순수한 응용 연구로서 아래 그림의 우상 사분면을 가리킴)
- 어느 쪽도 아닌 목표(비어 있는 칸으로서 아래 그림의 좌상 사분면을 가리킴)
- 양쪽 모두의 목표(응용 문제에 관한 기초 연구로서 아래 그림의 우하 사분면을 가리킴)

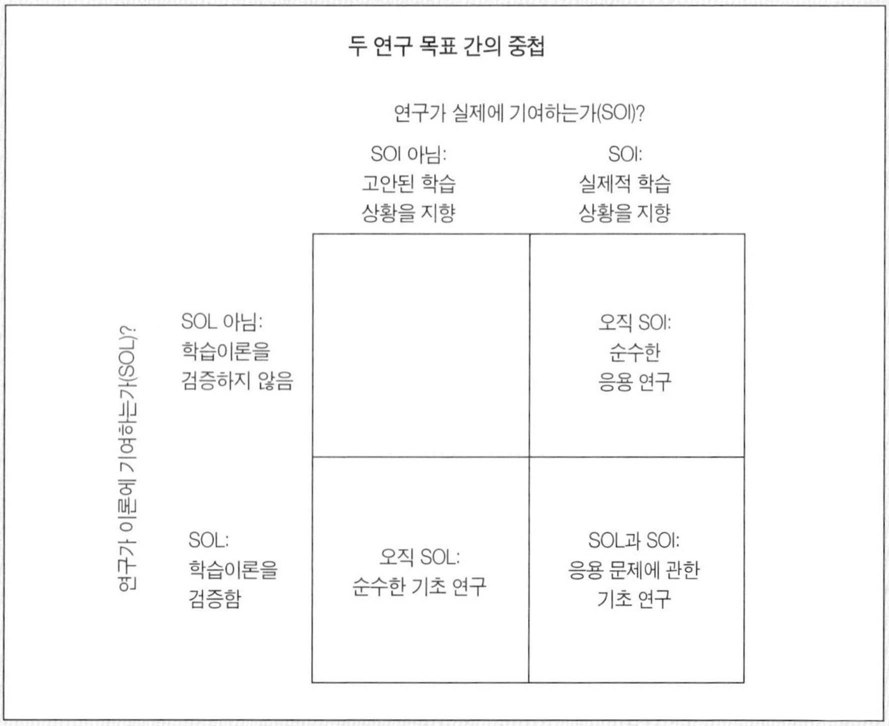

두 연구 목표 간의 중첩

연구가 실제에 기여하는가(SOI)?

	SOI 아님: 고안된 학습 상황을 지향	SOI: 실제적 학습 상황을 지향
SOL 아님: 학습이론을 검증하지 않음		오직 SOI: 순수한 응용 연구
SOL: 학습이론을 검증함	오직 SOL: 순수한 기초 연구	SOL과 SOI: 응용 문제에 관한 기초 연구

연구가 이론에 기여하는가(SOL)?

Donald Stokes가 "사용-고무된 기초 연구"로 참조하는 『파스퇴르의 사분면』의 네 가지 사분면 내에서 연구자들은 두 개의 중첩된 목표를 갖는다. 예를 들면, 교육적 연구에 Stokes의 분석방법을 적용시키면, 아래의 표는 연구자들이 학습이론과 교수실제에 공헌하기 위해 노력하는 사분면을 포함하고 있음을 알 수 있다. 이 사분면 안에서 학습이론(실제적 학습 상황에 적용하는 이론을 만드는 것)과 교수실제(언제 그리고 어떻게 교수방법들이 작용하는지를 이해하는 것)의 양쪽 모두에서 중요한 진보가 일어날 수 있다. 이 사분면은 기초 연구와 응용 연구 사이의 쌍방향 통행과 일치하며, 커뮤니케이션 라인들이 호혜적임을 나타낸다.

아래 표에 나타난 바와 같이, 기초 연구(학습과학)와 응용 연구(교수과학) 사이의 관계를 개념화하는 두 가지 방법—연속체 위의 두 개의 극단 또는 두 개가 중첩된 목표—이 있다. 전통적인 관점에서 보면, 응용 연구와 기초 연구는 인간이 학습하는 방법에 대한 이론적 질문에 초점을 맞추고 있는 학습과학(한 측면에 기초 연구로 표현된), 그리고 효과적인 교수를 산출해 내는 방법에 초점을 맞추고 있는 교수과학(반대편 측면에 응용 연구로 표현된) 같은 연속선상의 두 극단이다. 연속선 극단으로 보는 관점이 바람직하지 않은 결과는 학습 연구자들이 실제적 과제에 적용해 보지 않는 이론들을 개발하도록 안내하거나, 교수 연구자들이 이론에 입각하지 않는 교수방법들을 개발하도록 고무함으로써 교수방법들이 제한된 적용가능성을 갖게 하는 것이다. 이와 대조적으로, 필자는 두 가지 목표를 동시에 추구하는 연구—인간이 학습하는 방법에 관한 이론을 정립함으로써 학습과학에 공헌하고, 효과적인 교수를 설계하기 위한 연구기반 원리들을 발견함으로써 교수과학에 공헌하는 연구—의 실행을 가능하게 하는 중첩된 목표의 관점을 더 선호한다. 이 관점의 바람직한 결과는 연구가

기초 연구(SOL)와 응용 연구(SOI) 두 관점

관점	설명	결과
연속선 위의 두 극단	이론과 관련된 기초 연구; 실제와 관련된 응용 연구	이론을 실제적 과제에 적용하지 않음; 실제적 원리는 이론에 기반하지 않음
두 개가 중첩된 목표	응용 문제에 관한 기초 연구 (즉, 연구는 이론과 실제에 기여함)	이론은 실제적 과제로부터 입증되어 형성됨; 실제적 원리들은 이론에 근거함

보다 실제적인 학습이론과 보다 넓게 적용할 수 있는 교수방법을 야기시킬 수 있다는 것이다.

만약 아래 그림의 우측에 보여지는 바와 같이 중첩된 목표와 관련된 연구를 추구한다면, 필자가 "응용 문제에 관한 기초 연구"라고 지칭한(혹은 Stokes가 "사용-고무된 기초 연구"라고 지칭한) 영역에 들어설 수 있다. 우리들이 이 사분면 내에서 연구할 때, 좋은 기초 연구와 좋은 응용 연구는 같은 것이기 때문에 기초 연구와 응용 연구 사이의 차이는 사라지게 된다. 이 사분면 안에서 학습과학과 교수과학 간의 호혜적 관련성이 창출된다. 이 사분면은 이 책이 취하고 있는 입장이다.

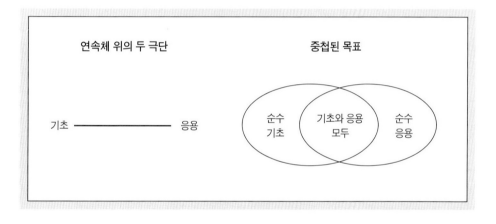

참고문헌 및 추천할 만한 읽을거리

25~26쪽

Piaget, J. (1971). *Science of education and the psychology of the child*. New York: Viking Press.

세계적인 발달 심리학자에 의한 심리학과 교육학 간의 관련성에 관한 설명

27~29쪽

Mayer, R. E. (2008). *Learning and instruction* (2nd ed). Upper Saddle River, NJ: Pearson Prentice Hall.

교육심리학의 핵심 개념에 대한 최신 비평과 심리학과 교육학 사이의 관련성에 대한 역사 분석

30~32쪽

Stokes, D. E. (1997). *Pasteur's quadrant: Basic science and technological innovation*. washington, DC: Brookings Institution Press.

동일한 연구 프로젝트가 이론적인 공헌(예컨대 학습과학)뿐만 아니라 실제적인 공헌(예컨대 교수과학)도 할 수 있다는 아이디어를 피력하는 주장

제1부

학습은 어떻게 이루어지는가?

교육은 학습자 내부에서 생산적 변화를 촉진시키는 데 관심이 있는데, 이러한 변화를 학습이라 한다.

　만약 인간이 학습하는 것을 도와주기를 원한다면, 학습이 어떻게 이루어지는지를 이해하는 것은 매우 도움이 될 것이다. 다시 말해서, 학습을 촉진시키기 위하여 사용하는 교수방법들은 인간의 마음이 어떻게 작용하는지에 관해 우리가 알고 있는 것과 일관성이 있어야 한다. 이 책의 제1부에서는 이에 관한 내용들을 다루게 되며, 아래 제시된 각각의 하위 주제들에 대해 탐색해 봄으로써 학습이 어떻게 이루어지는지에 관해 개관해 보고자 한다.

학습과학에서 다루는 주요 내용

1. 학습이란 무엇인가?

2. 변화하는 것: 행동인가, 지식인가?

3. 학습과학이란 무엇인가?

4. 전이(transfer)에 대한 고찰

5. 학습이 이루어지는 원리: 학습의 세 가지 메타포
   (1) 반응강화에 대한 고찰: Thorndike의 효과의 법칙
   (2) 정보획득에 대한 고찰: Ebbinghaus의 학습곡선
   (3) 지식구성에 대한 고찰: Bartlett의 스키마에 대한 동화

6. 학습이 이루어지는 원리: 학습과학으로부터 도출된 세 가지 원리
   (1) 이중채널에 대한 고찰: Paivio의 구체성 효과
   (2) 한정된 기억용량에 대한 고찰: Miller의 신비의 숫자 7
   (3) 능동적 정보처리과정에 대한 고찰: Wittrock의 생성적 과정

7. 학습이 이루어지는 원리: 학습의 인지적 모형
   (1) 유의미 학습에서의 세 가지 기억 저장소
   (2) 유의미 학습에서의 세 가지 인지과정

8. 강한 영향력을 지닌 동기와 메타인지
   (1) 학습 동기
   (2) 동기가 작동하는 원리
   (3) 학습에서의 메타인지

9. 교과영역에서의 학습

10. 단어 목록을 통한 학습에 관해 우리가 알고 있는 여덟 가지

Ⅰ 학습이란 무엇인가?

학습은 경험으로 인한 지식 내에서의 변화이다. 이 정의는 세 가지 주요 부분들로 구분되는데 첫째, 학습은 학습자 내에서의 변화를 포함한다. 둘째, 변화하는 것은 학습자의 지식이다. 셋째, 변화의 원인은 학습자의 경험이다.

> **학습은 경험으로 인한 지식 내에서의 변화이다.**
>
> 학습은
> 1. 변화이다.
> 2. 학습자가 알고 있는 지식 내에서 발생한다.
> 3. 학습자의 경험에 의해 야기된다.

이 세 부분들을 좀 더 자세하게 살펴보자. 첫째, 당신이 학습할 때 무슨 일이 발생하는가? 학습은 항상 변화를 포함한다. 변화는 학습자 내에서 일어나고 오랫동안 지속된다. 만약 당신이 학습을 하면, 당신은 변화된다. 만약 당신이 변화하지 않았다면, 당신은 학습하지 않은 것이다. 이처럼, 변화는 학습에 있어서 중요 개념이다.

둘째, 학습할 때 무엇이 변하는가? 당신이 알고 있는 것, 즉 지식 내에서 변화가 발생한다. 여기서 *지식*이란 *사실*, *절차*, *개념*, *전략*, *신념* 등을 포함하는 포괄적인 관점으로 사용하고자 한다. 지식 내에서의 변화는 직접적으로 확인될 수 없으며, 학습자의 행동 내에서의 변화(즉, 평가에 대한 반응 같은)를 관찰함으로써 유추해 낼 수 있다.

셋째, 학습이 발생하는 원인은 무엇인가? 학습은 특정 환경하에서 학습자의 경험에 의해 발생한다. 학습과정은 학습자가 자신의 환경과 상호작용할 때, 예컨대 토론에 참가하거나, 책을 읽거나, 교육적 게임활동을 수행할 때 이루어진다. 경험으로부터 학습하는 능력은 우리의 생존에 기여하기 때문에 우리 종(種)을 위해 상당히 유용한 특성이다. 교육에서, 우리는 의도적으로 학습환경을 창출함으로써 한 단계 더 나은 학습의 국면으로 나아간다. 학습자의 지식 내에서의 변화를 증진시키려는 의도를 갖고 다양한 방법으로 학습자의 환경을 조정할 때, 우리는 이 책의 제2부에서 탐색할 주제인 교수를 제공하고 있는 것이다.

학습의 정의를 이해하고 있는가?

학습의 정의와 일치하는 진술 옆에 체크표시를 하시오.

_____ Andy는 2주 동안 매일 컴퓨터 비디오게임을 한다. 그의 게임 스코어는 큰 향상을 보인다.

_____ John은 개를 좋아하지 않는다. 그러나 어느 주말 그는 친구의 귀엽고 작으며 검은 코커 스패니얼 버디를 돌보아야 한다. 주말이 지난 뒤, John은 이제 개들을 좋아한다.

_____ Pat은 자전거에서 떨어지면서 머리를 부딪치고 의식을 잃는다. 의식이 깨어났을 때, 그녀는 그 사건을 기억하지 못한다.

_____ Sue는 그녀의 화학시험 전에 에너지 바를 먹었으며, 그로 인해 더 많은 정보를 기억할 수 있다.

_____ 어느 날 Sarah는 100문제 세트의 계산 문제를 푸는 데 신기록을 세운다. 그러고 나서 그녀는 비록 지치긴 했지만, 동일한 수준의 100문제 두 번째 세트 문제 풀이를 시도한다. 이번에는 과제를 완성하는 데 더 많은 시간이 걸린다.

_____ Mark는 퀴즈게임에서 백만 달러 상금을 받기를 진심으로 원한다. 그래서 그는 그에게 주어진 각 문제들에 대한 답을 알아내기 위해 정말로 열심히 노력하기로 결심한다.

만약 첫 번째 문장에 체크했다면, 맞다고 볼 수 있다. Andy는 (비디오게임을 하는) 그의 경험으로 인해 (점수의 변화가 가리키는 바와 같이) 게임하는 방법에 관한 그의 지식의 변화를 보여준다. 유사하게, 만약 두 번째 문장에 체크했다면 필자가 "학습"의 개념에 대해 해석한 방법과 일관성을 갖는다. 귀엽고 작은 버디와의 경험을 기반으로 하여, John은 개에 관한 그의 신념으로 폭넓게 규정된 그의 지식에 변화를 보인다. 그렇지만, 이 두 가지만이 학습에 관해 체크할 수 있는 전부이다.

독자는 Pat이 알고 있는 것에 대한 변화(즉, 학습에 관한 개념 정의의 첫 번째 두 요소)를 포함하고 있기 때문에 세 번째 문장에 체크하고 싶을 것이다. 그러나 그것은 경험(즉, 학습에 관한 개념 정의의 세 번째 요소)에 의해서라기보다는 외부의 신체적 개입에 의한 것이다.

독자는 또한 네 번째 문장에 체크하고 싶을 것이다. 왜냐하면 적어도 시험을 통해 측정된 Sue가 그녀의 지식에 있어서의 변화를 포함하고 있기 때문이다(즉, 학습에 관한 개념 정의의 첫 번째 두 요소). 그러나 이는 경험(즉, 학습에 관한 개념 정의의 세 번째 요소)에 의한 것이라기보다는 외부의 화학적 개입에 의해 야기된 것이다.

다섯 번째 사례는 변화—수학 문제를 푸는 속도의 감소—를 포함하고 있기 때문에 학습으로 생각할 수 있겠지만, 이 변화는 Sarah의 지식(학습에 관한 개념 정의의 두 번째 요소)의 변화라기보다는 수행에 있어서의 변화라 할 수 있다. 변화는 그녀의 경험(학습에 관한 개념 정의의 세 번째 요소)에 의한 것이 아니라 그녀의 노고에 의한 것이다.

마지막으로, Mark의 퀴즈에 대한 여섯 번째 사례는 수행이 학습의 개념 정의 중 하나의 요소를 갖고 있음(즉, 학습자의 변화)을 보여준다. 그러나 이 변화는 그의 지식의 변화(즉, 학습에 관한 개념 정의의 두 번째 요소)보다는 수행에서의 변화라 할 수 있으며, 환경하에서의 그의 경험(즉, 학습에 관한 개념 정의의 세 번째 요소)이라기보다는 Mark의 동기에 의해 야기된 변화라 할 수 있다.

전반적으로 볼 때 각 시나리오는 학습자 내에서의 변화를 포함하고 있지만, 마지막 네 개의 변화는 경험에 기인하지 않고 있으며, 그 중에서도 마지막 두 개의 변화는 심지어 학습자가 알고 있는 것 내에서 일어난 것이 아니다.

변화하는 것: 행동인가, 지식인가? 2

아래 표에서 볼 수 있는 바와 같이, 학습과학(learning sciences)에서 주요 논쟁은 학습의 결과로서 무엇이 변화하는지—학습자의 행동인지 학습자의 지식인지—의 이슈에 관한 것이다. 1950년대를 통해 20세기 중반 동안 이루어진 합의는 학습은 학습자의 행동에 있어서의 변화를 포함한다는 것이었다. 이에 관한 논리적 근거는 과학이란 지식같이 관찰 불가능한 것보다는 행동처럼 관찰 가능한 요소들에 초점을 맞추어야한다는 것이다. 그 이후 이루어진 합의는 학습이란 학습자의 지식의 변화이며, 이는 학습자의 행동 내에서의 변화를 관찰함으로써 추론될 수 있다는 것이었다. 이에 관한 논리적 근거는 학습을 지식에 기반한 관점으로 보는 것이 실험실 동물의 반응학습을 넘어서 인간의 복잡한 학습을 설명하는 데 더 유용하다는 것이다.

학습에 대한 행동주의적 관점과 인지주의적 관점

학습에 대한 관점	변화대상	근거
행동주의적 관점	학습자의 행동	직접적으로 관찰 가능 행동
인지주의적 관점	학습자의 지식	행동에서 추론되는 지식

다음 그림에서 볼 수 있는 것처럼, 윗줄은 환경 내에서 어떤 사건들(미로에서 오른쪽으로 움직이도록 하기 위해 보상을 제공하는 것 같은)이 행동에서의 변화(향후 미로에서 우회전할 가능성이 더 높은)를 야기시키는 행동주의적 관점을 보여준다.

아랫줄은 새로운 요소—학습자의 인지적 체제—가 추가된 인지주의적 관점을 나타낸다. 환경에서 발생하는 것은 지식 같은 학습자의 인지적 시스템에서 해석되고 표상되며, 이는 학습자의 행동을 통해 명확하게 드러난다.

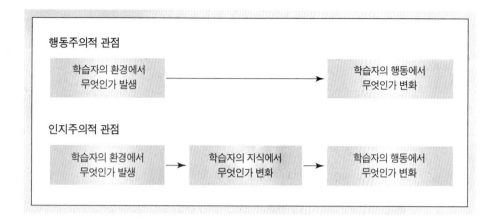

따라서, 행동주의자와 인지주의자들은 모두 학습자의 수행에 있어서의 변화에 관심을 갖는다. 그러나 인지주의자는 학습자의 지식(즉 사실, 개념, 절차, 전략, 신념 등)에 있어서의 변화에 대해 추론해 내는 부가적 과제를 안고 있다. 필자는 이 책에서 인지주의적 관점을 취하고 있다.

학습과학이란 무엇인가? 3

서론에서 학습과학을 정의한 바 있지만, 이 절에서 그 정의를 좀 더 정교화해 보고자
한다.

학습과학이란 무엇인가?

정의: 학습과학이란 인간이 학습하는 방법에 관한 과학적 연구이다.
목표: 학습이 일어나는 원리에 대한 이론 기반 모형의 정립
준거: 이론들이 검증 가능한지의 여부

학습과학이란 인간이 학습하는 방법에 관한 과학적 연구이다. 학습과학을 과학적
으로 만드는 것은 그것이 어떤 견해, 슬로건, 전문가들로부터의 인용 등이 아닌 근거
에 기반하고 있다는 것이다.

학습과학의 목표는 학습이 어떻게 일어나는지에 대하여 연구 기반 모형을 정립하
는 것이다. 이론 연구의 기반을 만든다는 것은 전문가들로부터의 의견, 슬로건, 인용
등에 기반한다기보다는 근거에 기반한다는 것이다.

학습이 어떻게 일어나는지에 관한 설명의 주요 준거는 그것이 검증 가능한가 하
는 것이다. 이론을 검증 가능하도록 만드는 것은 어떤 견해, 슬로건, 전문가들로부터
의 인용 등이 아니라 그것들을 예측하고 연구를 통해 도출된 근거들과 비교하는 것이
다.

주지하다시피, 경험적 증거는 학습과학의 핵심요소이다. 학습이론들은 근거에 기
반해야 하며, 이것이 바로 필자가 말하는 "근거기반 학습이론(evidence-based learn-
ing theory)"이다. 경험적 근거의 핵심적 역할은 Richard Shavelson과 Lisa Towne이
편집한 국가연구위원회(National Research Council)의 최근 연구보고서 "교육에 있어
서 과학적 연구"에 실득력 있게 기술되어 있다.

"과학적 가설이나 추측의 생명력을 드러내는 최종 법정은 그것의 경험적 적절
성이다. (중략) 과학적 주장이나 가설의 검증 가능성과 논박 가능성은 다른 형
태의 탐구들에서는 전형적이지 않은 과학적 조사의 중요한 특징이다." (p. 3)

검증 가능한 진술의 특징은 무엇인가? 먼저, 진술이 사실인지 아닌지를 결정할 수
있는 자료를 수집할 수 있어야 한다. 특히, 교수적 특징과 측정방법을 명확하게 확인
할 수 있어야 한다. 예컨대, 학습이 어떻게 일어나는지에 대해 구성주의적 관점을 지
지하고 있는 다음의 네 가지 진술을 살펴보자. 각 진술문 옆에 그것이 검증 가능한지
체크표시를 해 보자.

어떤 진술문이 검증 가능한가?

검증 가능한 진술문 옆에 체크표시를 하시오.

_____   학습자는 자신의 고유의 지식을 능동적으로 구성한다.

_____   학습은 이해를 깨우치는 활동이다.

_____   학습하는 동안 능동적인 사람들은 수동적인 사람들보다 더 잘 배운다.

_____   과학적인 글을 읽을 때 자발적으로 자기설명(자기 자신에게 그 뜻을 설명하는 것)을 생
성하는 사람은 그렇지 않은 사람보다 더 깊이 학습한다.

첫 번째 두 문장은 너무 모호해서 그것을 검증하기 위해 어떤 자료를 수집할 수 있
는지를 제시하지 못한다. 세 번째 문장은 올바른 방향으로 움직이고 있음을 보여주지
만 여전히 학습하는 동안 능동적 혹은 수동적이라는 것이 무엇을 의미하는지가 너무
모호하다. 네 번째 문장은 체크표시를 할 만하다. 왜냐하면 근거를 수집하기 위한 방
법이 훨씬 구체적이기 때문이다. 그러나, 물론 어떻게 자기생성과 학습결과를 측정할
것인지를 명확히 해야 할 여지가 있기는 하다. 따라서 네 번째 문장은 검증 가능한 가
설로 표현되어 있다. 다른 문장들은 일반적인 형태로 진술되어 있지만, 검증 가능한
형태는 아니다. 네 번째 문장을 검증할 때 구성주의적 관점과 일치하는 예측을 검증
할 수도 있으며, 이는 그 진술을 명료화하는 데 도움을 준다. 가설을 진술하는 것은
학습과학에 있어서 중요한 단계이다.

전이(transfer)에 대한 고찰 4

전이란 무엇인가?

전이는 새로운 학습이나 수행을 하는 데 있어서 선행학습의 효과이다. 당신이 이미 학습한 것이 새로운 과제를 수행하기 위한 당신의 능력에 어떻게 영향을 미치는가? 이것이 바로 전이의 이슈이다.

전이는 새로운 학습에 대한 선행학습의 효과이다.

전이가 일어나는 때:
1. 선행학습을 통해 당신이 알게 된 것들이
2. 새로운 과제에 대한 당신의 수행에 영향을 미친다.

전이는 어떻게 측정하는가?

아래에 제시된 표는 라틴어를 수강한 것 같은 학습경험(A라고 표기)을 갖고 있는 처치집단과 아무것도 수강하지 않은 통제집단을 보여준다. 그러고 나서, 스페인어를 수강하는 새로운 과제(B라고 표기)를 두 집단에 제공한다고 하자.

전이 실험

	학습과제	전이과제
처치집단	A	B
통제집단	—	B

만약 이 실험에서 처치집단이 통제집단보다 전이과제를 더 잘 성취한다면, 우리는 교육의 가장 일차적 목표인 *정적 전이(positive transfer)*의 증거를 갖게 된다. 만약 처치집단이 통제집단보다 전이과제를 더 잘 수행하지 못한다면, 학습과제는 교육에서 우리가 지양하고자 하는 *부적 전이(negative transfer)*를 창출한다고 말할 수 있다.

전이의 세 가지 유형

전이의 유형	전이과제의 수행
정적 전이	처치집단이 통제집단보다 더 잘 수행한다.
부적 전이	통제집단이 처치집단보다 더 잘 수행한다.
중립 전이	처치집단과 통제집단이 동등하게 수행한다.

일반 전이와 특수 전이는 무엇인가?

아래의 표에서 볼 수 있는 바와 같이, 학습과학에서 주요 논쟁은 학습이 특수한 것인지(그래서 오직 특수 전이만 가능한 것인지), 또는 일반적인지(그래서 일반 전이가 가능한지) 여부에 관한 것이다.

지난 100년 동안 학습과학자들은 특수 *전이*―특정 과제를 연습할 때 그 과제를 더 잘 성취할 수 있도록 도와주는―를 위한 충분한 증거를 제공해 왔다. 그러나 그들은 *일반 전이*―특정 과제를 연습할 때 완전히 다른 종류의 과제들을 성취할 수 있도록 도와주는―를 위한 증거를 제공하는 데는 크게 성공적이지 못했다. 예컨대, 초기 전이 실험에서 E. L. Thorndike와 그의 동료들은 라틴어 학습이 다른 학교 교과목들을 학습하는 데 도움이 되지 않기 때문에, 라틴어가 일반적으로 정신(mind)을 어느 정도 증진시킴으로써 일반 전이를 촉진시킨다는 증거가 없다는 것을 보여주었다. 그렇지만, Michael Pressley와 그의 동료들에 의해 보고된 교수전략에 대한 보다 최근의 연구에 따르면, 학생들은 그들의 독해력을 점검하는 방법이나 본문을 간추리는 방법 같은 일반적인 전략과 원리들을 배울 수 있으며, 그것들은 학생들의 다양한 과제들(예컨대 다양한 유형의 자료들 읽기)의 수행을 돕는 데 활용될 수 있음을 보여준다. 이것은 일반적인 원리와 전략들의 특수 전이에 관한 증거이며, 혼합 전이라고 부를 수 있다.

전이의 범위	설명	사례
특수 전이	A에 특별한 행동들(또는 절차나 사실들)은 B에서 요구되는 것들과 같다.	라틴어에는 스페인어와 유사한 동사의 활용과 단어들이 있기 때문에, 라틴어 학습은 스페인어를 배우는 데 도움이 될 것이다.
일반 전이	A와 B 사이에 아무런 공통점이 없지만, A를 배우는 것은 정신(mind)을 향상시키는 경험이다.	라틴어는 정신(mind)을 증진시키기 때문에, 라틴어 학습은 논리적 문제를 해결하는 데 도움이 되어야 한다.
혼합 전이	동일한 일반적인 원리나 전략이 A와 B 모두에 요구된다.	인쇄된 단어를 발음하는 법을 배우는 것은 라틴어와 스페인어 단어를 발음하는 데 도움을 준다.

전이는 특수한가 아니면 일반적인가?

전반적으로 볼 때, 최근의 합의는 학습은 특수 전이보다는 광범위할 수 있으며 일반 전이보다는 협소할 수 있다는 것이다. 혼합 전이를 증진시키는 열쇠는 광범위한 다양한 과제들에 활용될 수 있는 전략과 원칙들을 확인하는 것이다. 예컨대, 읽기에서 비유와 대조, 분류 혹은 한 과정에서의 단계들 같은 수사적 구조는 학생들이 광범위하면서 다양한 설명식 텍스트들을 이해하는 데 도움을 줄 수 있다. 수학에서 정신적 숫자라인(mental number line)의 일반적 개념은 학생들이 광범위하면서도 다양한 연산절차들을 학습하는 데 도움을 준다. 과학의 경우, 과학실험을 하는 데 있어서 변인의 통제라는 일반적 개념은 다양한 과학적 가설들을 평가하는 데 도움을 준다. 요컨대, 학습은 어느 정도 영역 특수적이긴 하지만, 특정 영역 내에서 적용 가능한 일반적인 원리나 전략들이 존재한다.

5   학습이 이루어지는 원리: 학습의 세 가지 메타포

100년 이상 동안 학습과학자들은 어떻게 학습이 이루어지는지 그 특징을 기술하기 위하여 노력해 왔다. 이 기간 동안 그들은 학습의 세 가지 주요 메타포를 개발해 왔는데, 반응강화(response strenthening), 정보획득(information acquisition), 지식구성(knowledge construction)이 그것이다. 아래 표는 학습의 세 가지 메타포들을 학습이 이루어지는 방법을 보는 개념, 학습자 및 교수자의 역할, 그리고 그것이 강한 영향을 미친 연대 등으로 구분하여 비교하고 있다.

학습의 세 가지 메타포

명칭	개념	학습자 역할	교사 역할	유행 시기
반응강화	연합의 강화 또는 약화	보상과 벌의 수동적 수용자	보상과 체벌의 제공자	1900년대 초반
정보획득	기억으로의 정보 저장	정보의 수동적 수용자	정보의 제공자	1900년대 중반
지식구성	인지적 표상 형성	능동적 이해자	인지적 가이드	1900년대 후반

반응강화

학습은 자극(예컨대 "2 더하기 2는 무엇이지?")과 반응(예컨대 "4입니다") 간의 연합의 강화 혹은 약화를 포함한다. 교사의 역할은 "2 더하기 2는 무엇이지?"라고 물어보는 것 같은 반응을 이끌어 내고 학습자가 "4입니다"라고 말하면 "맞았어"라고 대답하는 것 같은 보상을 제공하거나, 학습자가 "5입니다"라고 말하면 "틀렸어"라고 말하는 것 같은 벌을 제공하는 것이다. 학습자의 역할은 연합을 자동적으로 강화시키는 보상과, 연합을 자동적으로 약화시키는 벌을 받는 것이다. 근거가 되는 아이디어는, 만족감에 의해 수반되는 반응들은 그 상황과 더 강하게 연합되고, 그럼으로써 그 같은 반응들이 미래에 더 자주 발생하게 된다는 것이다. 마찬가지로, 불만족감에 의해 수반되는 반응들은 상황과 잘 연합되지 않고, 그로 인해 그 같은 반응들이 미래에 더 잘 일어나지 않는다는 것이다. 반응강화 메타포는 1900년대 초기에 유행했고, 오늘날에도 특히 반복 연습 훈련을 사용하는 기술들을 가르치는 데 있어서 여전히 중요한 이론적 틀이다.

정보획득

학습은 당신의 기억에 "세 가지 학습의 메타포는 반응강화, 정보획득, 지식구성이다" 같은 입력정보를 추가하는 것을 포함한다. 교사의 역할은 강의, 책, 혹은 온라인 프레젠테이션 같은 정보를 제공하는 것이고, 학습자의 역할은 저장을 위해 정보를 받아들이는 것이다. 학습이 이루어지는 원리의 개념은 종종 *전송 모형(transmission model)*이라고 불리는데, 왜냐하면 교사는 학습자가 받게 되는 정보를 전달해 주기 때문이다. 유사하게, 이 개념은 *빈 그릇 모형(empty vessel model)*이라고 불리기도 하는데, 왜냐하면 학습자의 기억은 교사가 제공하는 정보로 인해 채워질 빈 용기라고 할 수 있기 때문이다. 정보획득 메타포는 1900년대 중반에 유행했고, 특히 기본 사실들을 가르치는 데 있어서 여전히 중요한 이론적 기반이라 할 수 있다.

지식구성

학습은 '학습이 일어나는 원리'의 정신적 모형과 같이 당신이 추론해 낼 수 있는 정신적 표상을 형성하는 것을 포함한다. 이러한 관점에 따르면, 능동적 학습은 학습자가 학습하는 동안 적절한 인지적 과정에 몰입할 때 발생한다. 학습자의 역할은 제시된 자료를 이해하는 것이고, 교사의 역할은 학습하는 동안 학습자의 인지과정을 지도하도록 돕는 인지적 가이드로서 지원하는 것이다. 지식구성 메타포는 1900년대 후반에 유행했고, 특히 개념과 전략을 가르치는 데 있어서 지배적인 이론적 틀이라 할 수 있다.

학습의 각 메타포는 연구에 기반을 두고 있고, 각각은 학습과학에 영향을 끼쳤으며, 교육실제에도 영향을 미쳐 왔다. 비록 수십 년밖에 되지 않았지만, 각 메타포는 학습과학과 교육실제에 지속적으로 영향을 미치고 있다. 반응강화는 인지적 기술의 학습과 가장 관련이 깊고, 정보획득은 사실의 학습과, 지식구성은 개념 및 전략과 가장 관련이 깊다. 이 책의 목적 달성을 위해, 필자는 주로 세 번째 메타포인 지식구성에 초점을 맞추고 있다. 왜냐하면 필자는 유의미 학습을 촉진시키는 방법에 가장 관심을 갖고 있기 때문이다.

(1) 반응강화에 대한 고찰: Thorndike의 효과의 법칙

반응강화 관점을 위한 증거의 한 예로 세계 최초의 교육심리학자인 E. L. Thorndike에 의해 수행된 첫 번째 실험에 관해 살펴보도록 하자. 이 연구는 1911년에 출판된 E. L. Thorndike의 저서 『동물의 지능(Animal Intelligence)』에서 좀 더 자세한 내용을 읽어볼 수 있다.

연구 방법

1911년에 보고된 학습이 이루어지는 원리에 관한 초기 연구에서, E. L. Thorndike는 그림에서 볼 수 있는 것처럼 퍼즐박스 안에 배고픈 고양이를 집어 넣었다. 그림에서처럼 문과 연결된 줄의 루프가 있고, 퍼즐박스 바깥에 먹이그릇을 놓아 두었다. 고양이가 밖으로 나가서 그릇에 다가가 먹이를 먹기 위해서는 문을 열기 위해 줄의 루프를 잡아당겨야 했다. Thorndike는 24일간 연속해서 퍼즐박스 안에 고양이를 넣어 두었고, 그 고양이가 무엇을 하는지, 그리고 밖으로 나가기 위해 줄을 잡아당기는 데 얼

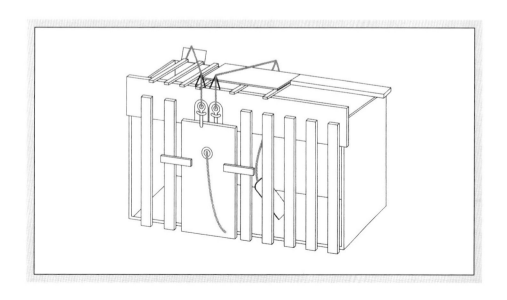

마나 시간이 걸렸는지를 주의 깊게 관찰했다.

연구 결과

첫 번째 날에 고양이는 퍼즐박스를 막아 놓은 널빤지들 사이에 자신의 앞발을 끼워 넣거나, 퍼즐박스의 벽에 돌진하거나, 큰 소리로 우는 등 여러 가지 관련 없는 행동들을 수행했다. 퍼즐박스에서 약 3분 후 고양이는 우연히 앞발로 줄의 루프를 잡게 되었고, 그로 인해 문이 열려서 밖으로 나가 먹이를 먹을 수 있었다. 다음날, 고양이의 관련 없는 행동들은 줄게 되었고, 줄의 루프를 잡아당기는 데도 시간이 적게 걸렸다. 24일의 기간에 걸쳐 고양이의 관련 없는 행동의 횟수와 밖으로 나가는 데 걸리는 시간은 점차 줄어들었다. 다음 그림은 고양이의 학습곡선을 보여준다. X축은 기간(1일부터 24일까지)을 보여주고 있고, Y축은 고양이가 줄을 잡아당기고 나가는 데 걸린 시간(초단위)을 보여준다. 그래프에서 볼 수 있는 바와 같이, 날짜가 지나면서 퍼즐박스에서 빠져나오는 데 걸린 시간이 감소했음을 알 수 있다. 이것은 고양이가 학습을 했음을 나타내 준다. 이 실험은 (X축에 나타난 시도 횟수가 의미하는) 연습의 양과, (Y축에 해결시간의 변화에 의해 알 수 있는) 학습의 양 사이에 수학적 관련성을 보여주는 최초의 과학적 연구결과들 중 하나였다.

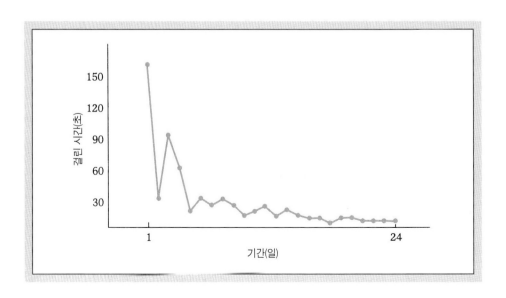

연구에 관한 설명

Thorndike의 연구프로그램 세 번째 단계는 그가 획득한 학습곡선에 대한 명확한 설명을 제공하는 것이었다. 고양이가 처음 퍼즐박스에 들어갔을 때, 그림에서 볼 수 있는 것처럼 그가 *행동습관 군 위계(habit family hierarchy)*라고 명명한 행동을 나타냈다. 행동습관 군 위계는 감금과 배고픔 같은 자극과, 벽에 돌진하는 반응 간의 연합 같은 자극-반응 연합을 포함한다. 자극-반응 연합—또한 행동습관이라 불리기도 함—은 하나의 군을 형성하는데, 왜냐하면 그것들은 모두 동일한 자극, 즉 감금과 배고픔을 갖고 있기 때문이다. 자극-반응 연합은 또한 위계구조를 형성하는데, 왜냐하면 반응들은 자극과 얼마나 강하게 연합되느냐 하는 것이 변화하기 때문이다.

고양이가 퍼즐박스에 처음 들어갔을 때, 위계의 맨 첫 번째 반응(벽에 달려드는 행동)을 나타냈다. 그 행동은 밖으로 나가는 결과를 야기시키지 못했고, 그로 인해 그 연합은 약화되었다. 여러 번 돌진을 반복한 뒤 연합은 너무 약화되었고, 이제 그 다음 반응(우는 행동)이 위계구조의 맨 위에 위치하게 되어 고양이는 우는 행동을 실행했다. 이것 역시 성공하지 못했고, 그것 또한 약화되었다. 많은 시도 후에 각각의 맨 위의 반응들은 반복적으로 시도되었고, 그것들이 실패할 때마다 그러한 행동들은 약화되었다. 결국, 고양이는 허공에 자신의 앞발을 흔드는 것 같은 더 낮은 반응 쪽으로 내려갔고, 그것이 줄의 루프를 잡아당겨 밖으로 나가는 결과를 야기하게 되었다. 그러고 나서, 퍼즐박스에 있는 것과 줄의 루프를 잡아당기는 것 간의 연합은 강화되었다. 행동습관 군 위계는 성공적이지 못한 반응들은 그것들이 실패할 때마다 더 약화되고 성공적인 반응은 그것이 성공할 때 더 강화되면서 천천히 변화했다. Thorndike

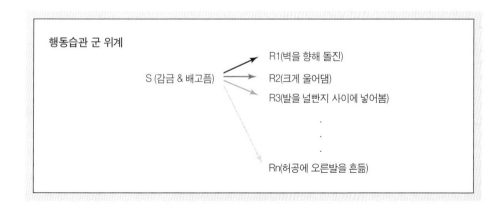

는 이것을 '효과의 법칙(law of effect)'이라고 불렀으며, 다음과 같이 그 개념을 설명했다.

효과의 법칙

같은 상황하에서 만들어진 몇몇 반응들 중, 다른 조건들이 동일하다면, 동물들에게 만족감에 의해 수반되거나 뒤따르는 반응들은 그 상황과 더 확고하게 연결된다. 그래서 그 상황이 다시 발생할 때 그 반응들이 더 자주 발생한다. 마찬가지로, 다른 조건들이 동일하다면, 동물들에게 불만족감에 의해 수반되거나 뒤따르는 반응들은 그 상황과 연관성이 약해지고, 그 상황이 다시 발생할 때 그 반응들은 덜 나타나게 된다. 만족감 또는 불만족감이 크면 클수록 연결의 강화나 약화도 더 커진다. (p. 244)

고양이, 개, 닭을 대상으로 이 같은 일련의 연구를 완료한 후에, Thorndike는 효과의 법칙이 어른들 그리고 결국 학교 학생들의 학습에 어떻게 영향을 미치는지에 관한 연구로 관심을 옮겨갔다. 효과의 법칙은 반복 연습 훈련 교수방법의 기초라 할 수 있으며, 1900년대 초에 유행했지만 오늘날에도 널리 사용되고 있다. 저명한 학습 심리학자 B. F. Skinner는 학습에 대한 그의 행동주의적 접근방법을 정립하는 데 있어서 이 연구에 기반을 두었다.

(2) 정보획득에 대한 고찰: Ebbinghaus의 학습곡선

1885년 독일에서 출판된 Herman Ebbinghaus의 고전적 저서 『기억(Memory)』은 "가장 오래된 주제로부터 우리는 가장 최신의 과학을 도출해 낼 것이다"라고 시작한다. 이 책에서 그는 학습과 기억에 관한 최초의 실험연구에 관해 기술한다. 만약 학습과학의 출발점을 찾고 있다면, Ebbinghaus의 저서가 매우 유용할 것이다.

연구 방법

1초당 다음에 제시된 세 글자짜리 단어 묶음을 소리 내어 읽어보자. 만약 악기를 연주할 때 일정 시간간격을 유지하기 위해 사용되는 메트로놈을 갖고 있다면, 그것을 매

초마다 똑딱거리도록 설정해 두자.

TOR NIS DUL XAB VEQ NIZ REH MAF POS

이제 책을 덮고 30까지 크게 센 다음, 위에 있는 세 글자짜리 단어 묶음을 모두 순서대로 적어보자. 이것은 비록 Ebbinghaus가 독일어를 사용하고 다른 테스트 방법을 사용하긴 했지만, 그에 의해 사용된 연구 방법의 풍미를 느끼게 해 준다. 먼저, 그는 단어가 아닌 자음-모음-자음의 순서로 구성된 무의미 음절 목록들을 구성했다. 둘째로, 그는 *연쇄학습(serial learning)*이라는 방법을 고안해 냈는데, 그는 순서대로 음절들을 기억하기 위한 목적으로 목록에 있는 한 개의 무의미 음절을 한 번에 하나씩 일정한 비율로 읽어 나갔다. 그는 정해놓은 시도 스케줄에 따라(혹은 그 목록을 완전히 숙지할 때까지) 이러한 연습을 반복했고, 그러고 나서 사전에 정해놓은 시간간격 후에 자기 자신을 평가해 보았다. 셋째로, 그는 *복습에서의 절약(savings in relearning)*이라고 불리는 학습결과 테스트를 창안했는데, 여기서 그는 그가 숙지하기 위해 단어 목록을 복습하는 데 소요된 시도 횟수를 결정했다. 초기에 학습하는 데 걸린 시도 횟수와 복습하는 데 걸린 시도 횟수 간 차이를 *복습에서의 절약(savings in relearning)*이라고 부른다.

연구 결과

그림은 X축에 학습시도 횟수(즉, 목록을 얼마나 많이 공부했는가), Y축에 24시간 후의 테스트에서 복습에서 절약된 비율(즉, 1270초의 최초 학습시간과 비교한 테스트상의 준거를 토대로 복습에 얼마나 많은 시간이 걸렸는지에 기반한 비율)을 나타낸 학습곡선을 보여준다. Ebbinghaus는 연습의 양과 학습하는 양 사이의 수량적 관계를 최초로 설명했다.

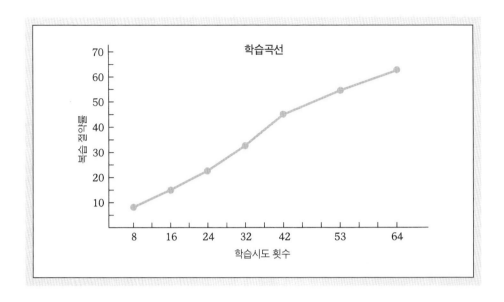

다음 그림은 X축에 학습 이후의 경과시간, Y축에 복습에서 절약된 백분율(준거로서 학습에 평균 1090초 걸린 13개의 무의미 음절 리스트에 기초한 비율)을 나타낸 망각곡선을 보여준다. 그림에서 볼 수 있는 바와 같이, 기억은 시간이 지나면서 급격히 떨어진다. Ebbinghaus는 학습 이후의 경과시간과 기억의 양 사이의 수량적 관계를 최초로 설명했다.

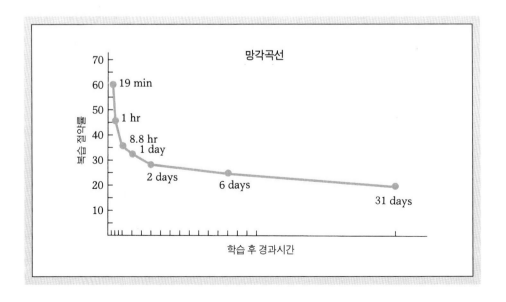

연구에 관한 설명

Ebbinghaus는 당신이 얼마나 많이 알고 있느냐에 영향을 미치는 요인들에 관심을 갖고 있었다. 학습곡선은 당신이 알고 있는 양은 당신이 자료를 학습하는 데 투입한 연습의 양에 의존한다는 것을 보여주며, 망각곡선은 당신이 알고 있는 양은 학습 후에 경과된 시간에 의존한다는 것을 보여준다. Ebbinghaus는 학습이란 기억에 정보를 저장하는 과정으로 보인다는 정보획득의 관점을 가정했다. 아주 간결하게 말해서, 학습이 일어나는 원리에 대한 Ebbinghaus의 개념은 다음과 같다.

> 반복의 횟수가 점점 증가할 때, 그 계열(series)은 더 깊이 그리고 더 잊혀지지
> 않게 새겨진다. (p. 53)

Ebbinghaus는 어떤 요인들이 학습량을 증가시키는지를 결정하는 것을 목표로 통제된 실험과 양적 측정도구들을 사용하는 상당히 정밀한 연구를 위한 풍조를 조성했다. 정보획득으로서의 학습에 관한 그의 초점은 오늘날 여전히 영향력이 있을 뿐만 아니라, 학습자에게 가능한 많은 정보를 제시하려는 교수방법들에 반영되고 있다. 예컨대, 당신은 사실적 정보들로 넘쳐나는 두꺼운 교재들, 그리고 빠른 페이스로 진행되는, 단어들로 가득한 파워포인트 슬라이드들로 채워진 강의들에 익숙할 것이다.

(3) 지식구성에 대한 고찰: Bartlett의 스키마에 대한 동화

지식구성의 관점에 대한 근거의 사례로서, 1932년에 『기억하기(Remembering)』라는 책을 출판한 Frederick Bartlett에 의해서 수행된 고전적 연구를 검토해 보자.

연구 방법

Bartlett은 영국 대학생들에게 친숙하지 않은 미국 원주민 문화에 관한 민속 이야기를 읽도록 요구했고, 15분에서 30분 간격으로 그 이야기를 다시 기억해 내도록 했다. 기억으로부터 재생해 낸 버전은 다른 학생에게 전달되었고 그 학생은 전달받은 것을 다시 읽고 기억해 내는 등 운동장에서 전화게임 하듯 이런 식으로 반복해서 10개의 재생버전을 만들었다. 아래에서 보는 바와 같이, "유령들의 전쟁(The War of the

Ghosts)"이라고 불리는 이야기는 두 사람이 어떻게 영혼 세계로부터 막 공격을 시작하려고 하는 등장인물들을 만났는지 묘사한다.

유령들의 전쟁

어느 날 밤, Euglac에서 온 두 명의 젊은이가 물개 사냥을 하러 강에 내려갔는데, 점점 안개가 끼고 고요해졌다. 그때 전쟁 함성 소리가 들려왔고, 그들은 '전쟁이 일어났나 봐'라고 생각했다. 그들은 해안으로 도망쳐 통나무 뒤에 숨었다. 카누들이 나타나고 노 젓는 소리가 들리더니 카누 중 한 척이 그들에게 다가왔다. 카누에는 다섯 명의 남자가 타고 있었고 그들은 다음과 같이 말했다.

"우리는 당신들을 데려가고 싶은데 어떻게 생각합니까? 이 강을 건너가 사람들과 전쟁을 할 겁니다"

그러자 한 남자가 이렇게 말했다. "전 화살이 없어요."

그들이 대답했다. "화살은 카누 안에 있소."

"전 따라가지 않을래요. 죽을 수도 있잖아요. 제 친척들은 제가 어디 갔는지도 몰라요. 하지만 자네는 …."

그는 다른 남자를 보며 말했다. "자네는 저들을 따라가도 되네."

그리하여 두 젊은이 중 한 명만 그들을 따라가고 다른 한 명은 집으로 돌아갔다.

그리고 전사들은 강을 건너 Kalama의 반대편 마을로 갔다. 사람들이 물로 몰려나와 싸움이 시작되었고, 많은 사람들이 죽었다. 그런데 이내 그 젊은이는 전사 중 한 명이 말하는 것을 들었다. "서둘러요. 집에 갑시다. 인디언이 맞았어요." 그 순간 그는 생각했다. '아, 이들은 유령들이었구나.' 그는 고통을 느끼지 못했지만 전사들은 그가 총에 맞았다고 말했다.

그리하여 카누는 Egulac으로 다시 돌아갔고 젊은이도 그의 집이 있는 해안가로 돌아가 불을 지폈다.

그는 모두에게 말했다. "보세요. 저는 유령들과 같이 가서 싸웠어요. 많은 동료 전사들이 죽었고 우리를 공격했던 많은 사람들도 죽었어요. 그들이 내가 총에 맞았다는데 난 아프지 않았어요."

그는 그가 경험한 모든 것을 말했고, 곧 조용해졌다. 해가 떠올랐을 때 그는 쓰러졌다. 검은 무언가가 그의 입 밖으로 튀어나왔고 그의 얼굴은 일그러졌다.

사람들이 뛰처나와 소리쳤다. 그가 죽은 것이었다.

연구 결과

그 이야기가 마지막 열 번째 사람에 의해 다시 만들어졌을 때, 그것은 더 간결하고 더 일관된 이야기(즉, 학습자 관점에서 더 일관된 이야기)로 변했다. 이야기에서 볼 수 있는 바와 같이, 영혼 세계의 침입에 관한 주제(학습자에게 친숙하지 않은)가 완전히 사라지고, 전쟁 이야기에 관한 주제(학습자에게 친숙한)가 조직 틀로서 대체된다. 전쟁 테마와 일관성이 없는 세부사항들은 사라지고, 전쟁 테마와 연관된 세부사항들이 창조된다.

유령들의 전쟁

두 명의 인디언이 Manpapan 만에서 물개사냥을 하고 있을 때 전투카누를 탄 다섯 명의 인디언이 다가왔다. 그들은 전쟁을 하러 가는 중이었다.

그들은 두 명의 인디언에게 "우리 함께 가서 싸웁시다."라고 말했다.

그 중 한 명의 인디언이 "전 따라갈 수 없어요. 저는 집에 책임져야 할 노모가 있어요."라고 말했다. 다른 한 명도 무기가 없기 때문에 따라갈 수 없다고 말했다.

그들은 "우리 카누 안에 무기가 많이 있기 때문에 그건 문제가 되지 않소."라고 대답했다. 그러자 그는 전투카누에 타고 그들과 함께 떠났다.

곧바로 전투에서 이 인디언은 치명적인 부상을 당했다. 그는 죽음을 예감했고 곧 자신이 죽을 거라며 소리쳤다. "말도 안돼요. 당신은 죽지 않아요."라고 그들 중 한 명이 말했지만 그는 결국 죽고 말았다.

연속된 열 개의 재생산된 버전의 이야기들을 조사하면서, Bartlett은 이야기가 체계적인 방법으로 변화한다는 것에 주목했고, 다음 표에서 볼 수 있는 바와 같이 이 방법들을 *수평화(leveling)*, *첨예화(sharpening)*, *합리화(rationalization)*라고 명명했다.

학습과 기억의 세 가지 인지과정		
명칭	설명	예시
수평화	특정 세부 요소들 감소	장소가 "Egulac" 에서 "Bay of Manpa-pan" 으로 변화함
첨예화	특정 결정적 요소들의 정교화	"제 친척들은 제가 어디로 갔는지 모르는 걸요" 에서 "저는 집에 책임져야 할 노모가 있어요" 로 변화함
합리화	익숙한 주제로 이야기 재조직	영혼 세계에 관한 이야기에서 전쟁 전투에 관한 이야기로 변화함

연구에 관한 설명

Bartlett은 유의미 학습은 기존의 스키마에 새로 들어오는 정보를 동화시키는 것을 포함한다고 제안했다. 스키마는 지식요소들을 일관된 정신적 표상으로 연결하는 조직 구조이다. 영국 대학생들은 그 이야기에 포함되어 있는 영혼 세계 부류에 관한 스키마를 갖고 있지 않았고, 그래서 그들은 '유령들의 전쟁' 이야기를(부적절하긴 하지만) 더 친숙한 '전투 전쟁' 과 같은 스키마로 동화시켰다. Bartlett에 따르면, 학습은 학습자가 적절한 선수 지식이 부족할 때 손상된다. 왜냐하면 학습의 결과는 제시된 것과 그것을 동화시키기 위해 사용되는 학습자의 기존 지식 둘 다에 의존하기 때문이다.

이처럼, 학습은 제시된 정보를 기억에 더하는 과정이라기보다 스키마에 동화시키는 구성적 과정이다. 기억하는 것에 관하여, Bartlett은 학습자는 원래 이야기의 약간의 조각들과 전투 전쟁 같은 일반적인 조직 스키마를 기억하는 것에 기초하여 이야기를 정신적으로 재구성한다고 제안했다. 이처럼 기억한다는 것은 정보 회상의 과정이라기보다 재구성의 행동이다. 아시다시피, Bartlett은 정보가 학습하는 동안 기억에 더해지고 기억하는 동안 회상된다는 기존의 정보획득 관점에 대한 구성주의적 대안을 제안한 최초의 사람이었다. 요컨대, Bartlett은 능동적인 이해자(sense maker)로서 학습자의 비전을 제시하고 이를 뒷받침하는 근거를 제공했다.

6

학습이 이루어지는 원리: 학습과학으로부터 도출된 세 가지 원리

만약 당신이 인간의 학습을 돕기 원한다면, 인간의 정보처리 시스템이 어떻게 작동하는지에 대해 이해하는 것이 유용할 것이다. 아래 표에는 학습과학으로부터 도출된 세 가지 기초 연구 기반 원리들인 *이중채널(dual channels)*, *한정된 용량(limited capacity)*, *능동적 정보처리과정(active processing)*이 요약되어 있다. 어떤 유용한 학습이론이든지 이 세 가지 기본 원리들을 포함하고 있어야 한다.

학습과학으로부터 도출된 세 가지 원리	
원칙	**정의**
이중채널	인간은 언어와 시각 자료 처리를 위한 분리된 채널을 갖고 있다.
한정된 용량	인간은 한 번에 각 채널에서 적은 양의 자료들만 처리할 수 있다.
능동적 정보처리과정	유의미 학습은 학습자가 학습하는 동안 유관 자료에 주의 기울이기, 그것을 일관된 표상으로 조직화하기, 유관 선수 지식에 그것을 통합시키기 같은 적절한 인지적 과정에 참여할 때 발생한다.

이중채널의 원리

인간은 정보를 처리하는 데 있어서 언어적 자료 처리를 위해 사용하는 언어 채널과 시각적 자료 처리를 위해 사용하는 시각 채널 두 개의 분리된 채널을 소유하고 있다. 단어와 그림은 두뇌의 다른 영역에서 처리되고, 인간의 정신에서 상이하게 표상된다.

한정된 용량의 원리

학습과학에서 가장 중요한 단일한 아이디어는 아마 인간은 한 번에 각 채널에서 적은 양의 자료만 처리할 수 있다는 점이다. 이 같은 작업기억 용량의 제한은 학습이 일어나는 원리에 있어서 중요한 함의를 지닌다. 수신되는 정보가 모두 작업기억 안에 들어올 수 없기 때문에, 인간은 유관 자료에 주의를 기울이고 그것을 이해하기 위해 노력하는 데 있어서 선택적이어야 할 필요가 있다. 인간은 한정된 처리용량 때문에 많은 양의 자료들을 담는 테이프 레코더가 될 수도 없고 그것들을 녹음할 수도 없다.

능동적 정보처리과정의 원리

끝으로, 세 번째 주요 원리는 학습자가 학습하는 동안 적절한 인지 과정에 참여할 때 유의미 학습이 발생한다는 것이다. 능동적 정보처리과정은 유관 자료에 주의를 집중시키고, 선택된 자료를 일관된 표상으로 정신적으로 조직화하고, 장기기억으로부터 활성화된 선수 지식들에 그것을 통합시키는 활동들을 포함한다.

(1) 이중채널에 대한 고찰: Paivio의 구체성 효과

다음에 제시되는 단어 목록에서 2초마다 한 단어씩 읽어보자. 목록 끝에 도달하면 책을 덮고 30초 안에 기억할 수 있는 모든 단어를 기억하여 적어보자.

시도하기! 나무 피아노 강 트럭 팔꿈치 미사일 망치 애벌레 책 감자

그 다음에 아래 제시되는 단어 목록에서 2초마다 한 단어씩 읽어보자. 목록 끝에 도달하면 다시 책을 덮고 30초 안에 기억할 수 있는 모든 단어를 기억하여 적어보자.

시도하기! 양식 노력 품질 진실 앙코르 아이러니 공물 제외 이름이 같은 사람 비용

대부분의 사람들처럼, 당신은 두 번째 목록에 있던 단어들보다 첫 번째 목록에 있던 단어들을 더 잘 회상해 냈을 것이다. 이것을 *구체성 효과(concreteness)*라고 부르는데, 왜냐하면 첫 번째 목록에 있는 단어들은 구체적인 반면 두 번째 목록에 있는 단어들은 추상적이기 때문이다. 단어가 구체적인지 추상적인지에 대해 어떻게 알 수 있는가? 만약 사람들에게 1(매우 추상적)부터 7(매우 구체적)까지의 척도로 첫 번째 목록에 있는 단어들을 체크해 보라고 요구해 본다면, 이 단어들은 매우 높은 점수를 얻게 될 것이다. 마찬가지로, 같은 척도를 사용하여 두 번째 목록에 있는 단어들을 체크해

보도록 할 경우 그 단어들은 낮은 점수를 받게 될 것이다.

시도하기! "나무"라는 단어의 구체성 혹은 추상성 수준을 체크해 보자.

　　　　　1　　　2　　　3　　　4　　　5　　　6　　　7

　　　　매우 추상적　　　　　　　　　　　　　　　매우 구체적

　　Allan Paivio는 1971년 그의 고전적 저서 『심상과 언어적 처리(Imagery and Verbal Processes)』에서 구체성 효과가 인간이 단어와 그림에 대해 분리된 정보 채널을 갖고 있다는 아이디어를 어떻게 지지하는지에 관해 설명했다. 학습자는 '나무' 같은 구체적인 단어가 주어졌을 때, (나무의 정신적 이미지를 형성함으로써) 언어적으로 그리고 심상적으로 단어를 부호화할 수 있다. Allan Paivio는 추상적인 단어보다는 구체적 단어에 대한 정신적 이미지를 형성하는 것이 더 쉽다는 것을 보여줌으로써 증거를 제시했다. 이와 대조적으로, 학습자는 추상적인 단어가 주어졌을 때, 언어적으로 단어를 부호화할 수는 있지만 심상적으로 부호화하는 데 어려움을 겪는다. Paivio의 이중부호화 이론에 따르면, 인간은 입력되는 정보를 표상하기 위하여 한 개보다는 두 개의 부호체계를 사용할 때 더 잘 학습한다. 단어보다는 그림으로 제시될 때 주어진 항목이 더 잘 기억된다는 그림 우월성 효과(picture superriority effect)는 그 증거의 일부라 할 수 있다.

(2) 한정된 기억용량에 대한 고찰: Miller의 신비의 숫자 7

아래 각 상자들을 대략적으로 살펴보고, 상자 안에 얼마나 많은 점들이 있다고 생각하는지 즉시 말해보자. 점들의 개수를 세기 위한 시간을 가져서는 안 된다. 잠깐만 보고 나서 개수를 말하고, 다음 상자로 넘어가 보도록 하자.

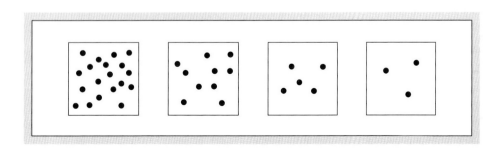

이것을 *주의집중 지속범위(attention span)* 과제라고 부르는데, 왜냐하면 한순간에 얼마나 많은 정보를 획득하는지를 알려주기 때문이다. 만약 당신이 일반 사람이라면, 당신은 첫 번째와 두 번째 상자를 보고 "3", "5"라고 답하는 데 전혀 어려움이 없었을 것이다. 그렇지만 다음에 있는 두 상자에 대해서는 개수를 추정할 수밖에 없었을 것이다. 만약 실제로 그랬다면, 당신의 주의집중 지속범위는 "7" 정도라 할 수 있다. George Miller는 1956년에 발표한 그의 고전 논문 "신비의 숫자 7±2: 정보처리를 위한 처리용량의 한계"에서 점이 7개 이하로 제시되면 사람들이 몇 개의 점이 있는지를 즉시 볼 수 있어서 "즉각적으로 파악"하지만, 점이 7개 이상 제시될 때는 "추정"한다는 증거를 인용했다. 이것은 사람들이 작업기억 내에서 정보를 처리하기 위한 용량에 있어서 심각한 한계를 갖고 있다는 아이디어에 대한 증거라 할 수 있다.

한 가지 과제를 더 시도해 보자. 아래 글자들 각각의 열을 소리 내어 읽은 뒤 즉시 페이지를 보지 말고 순서대로 크게 암송해 보자.

시도하기! J M F

S K Y N L

N F R D M P W B T R

H C T F B R N L N Y K S M J K P X G N V

이것을 *기억 지속범위(memory span)* 라고 하는데, 왜냐하면 오류 없이 목록에 있는 각 항목들을 얼마나 많이 기억할 수 있는지를 말해주기 때문이다. 대부분의 사람들과 마찬가지로, 당신은 첫 번째와 두 번째 목록은 잘 기억할 수 있었겠지만, 세 번째와 네 번째 목록에서는 오류를 범했을 것이다. 만약 실제로 그랬다면, 당신의 기억 용량은 7 정도라 할 수 있다. Miller는 이것을 *신비의 숫자(magic number)* 7이라고 불렀으며, 한 음절 단어들의 목록을 제공하면 기억 용량이 5 정도가 되며, 숫자들의 목록을 제공하면 기억 용량이 9 정도 된다는 점에 주목했다. 다시 말하면, 이것은 인간이 매우 제한된 작업기억 용량을 갖고 있음을 나타낸다.

비록 최근의 추정은 5단위로 개수가 감소하고 있지만, Miller는 전반적으로 *단기 기억 용량(작업기억 용량과 유사함)*은 7단위의 정보묶음 정도임을 보여주는 다양한 사례들을 제시할 수 있었다. 묶음(chunk)은 학습자 집단이 선수 지식에 기초하여 어떻게 자료를 제시하는지에 따라 결정된다. 예컨대, 다섯 개의 단어를 기억하는 것은

25개의 문자들을 기억하는 것을 포함할 수 있는데, 이처럼 단어는 하나의 묶음으로 기능할 수 있다. 좀 더 긴 묶음들을 만들기 위해 선수 지식을 사용함으로써, 인간은 작업기억에 더 많은 정보를 효과적으로 저장할 수 있다.

(3) 능동적 정보처리과정에 대한 고찰: Wittrock의 생성적 과정

다음 문단을 읽어보자. 다 읽고 나서, 주어진 공란에 한 문장으로 내용을 요약해서 적어보자.

> 그녀의 형제들이 잘 준비하도록 하기 위해 그녀는 미리 메시지를 준비했다. 특정 관리가 노예들의 메일을 모두 검사했기 때문에, Harriet의 메시지는 지하철도(Underground Railroad)[1]에서 비밀리에 활동하는, 메릴랜드에서 몇 안 되는 극소수의 해방된 흑인 중 한 명인 Jacob Johnson 앞으로 보내졌다. 그러나 심지어 Jacob의 메일도 검열되었기 때문에 Harriet은 신중을 기해야 했다. 그녀의 메시지는 다음과 같았다. "기도로 항상 헌신하는 나의 형제들에게 알려주세요. 강인하고 오래된 일단의 기운이 미끄러져 나아가면 배에 합류할 준비를 하세요."
>
> 이 글의 제목을 써 보자: _____
>
> 이제 다음 질문에 답해보자.
>
> "배에 합류할 준비"라고 말한 그녀의 암호는 무엇을 의미하는가?
>
> A. 특정 관리를 인식하기 위한 준비
>
> B. 탈출을 위한 준비
>
> C. 그녀의 부모를 방문할 준비
>
> D. Jacob과 연락을 취할 준비

---

1) [역자주] '지하철도(Underground Railroad)'는 미국 남북전쟁 이전에 아프리카에서 미국으로 잡혀 온 수많은 흑인 노예들을 탈출시키기 위해 탈출 경로를 알려주고 실질적 도움을 주었던 비밀 결과조직을 말한다. '지하철도'라고 이름이 붙여진 것은 1831년 오하이오 강가에서 뒤쫓아 오는 주인을 감쪽같이 따돌리고 도망친 한 노예를 그 주인이 '땅 속으로 꺼진 것이 틀림없다'라고 말한 데서 유래되었다고 한다. 이 글에 나오는 Harriet은 미국의 노예제도 폐지론자이자 인권 운동가로서 '지하철도'의 탈출로를 따라 수백 명의 남부 노예들을 자유로운 북부로 탈출시키는 데 큰 공헌을 하였으며, '흑인들의 모세'로 알려져 있다.

Marleen Doctorow, M. C. Wittrock, 그리고 Carolyn Marks가 수행한 연구에서, 그들은 통제집단 고등학교 학생들에게는 여러 문단으로 구성된 이야기를 읽도록 요구했으며, 다른 집단 학생들에게는 (위에 제시된 것처럼) 각 문단을 읽은 후에 한 문장으로 요약해 적어 보도록 했다. 위에 제시된 것처럼 질문들로 구성되어 있는 후속된 이해도 테스트에서 요약문을 생성한 학생들은 이해도 테스트에서 통제집단보다 1 표준편차 가량 높은 점수를 획득했다(즉, 효과의 크기 $d = 1$ 정도였다).

Wittrock은 이 연구 결과를 그의 "학습에 관한 생성적 이론"의 측면에서 설명하는데, 이 이론은 학생들은 학습하는 동안 핵심적이면서도 적절한 인지적 정보처리과정인 학습전략을 활용할 때 더 깊게 학습한다는 것이다. 예컨대, 요약 문장을 만드는 "생성적 효과"는 학습자들로 하여금 자료를 일관된 구조 내로 조직화하고 유관된 선수 지식과 그 자료를 통합시키는 것 같은 인지 정보처리과정에 몰입하도록 독려한다.

7

학습이 이루어지는 원리: 학습의 인지적 모형

멀티미디어 학습의 인지적 이론은 인간 정보처리체제가 이루어지는 원리에 대한 기본적인 설명을 제공한다.

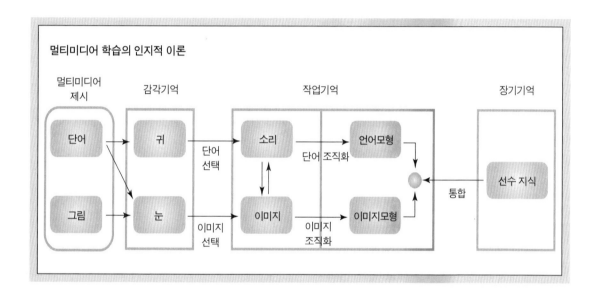

"멀티미디어 제시" 밑에 있는 왼쪽 그림부터 시작하면, 정보는 단어와 그림(예컨대 라이브 프레젠테이션, 책에 인쇄된 수업자료나 컴퓨터보조수업 등)으로 제시된다. 단어는 구어적 형태나 문어적 형태로 제시될 수 있다. 그림은 삽화, 그래프, 차트, 지도, 사진처럼 정적인 것일 수도 있고, 애니메이션이나 비디오처럼 동적인 것일 수도 있다. 구어적 단어들은 귀에 영향을 미치고 청감각기억에 간략하게 소리로 표상된다. 반면에, 인쇄된 단어와 그림들은 눈에 영향을 미치고 시감각기억에 간략하게 이미지로 표상된다("감각기억" 아래 제시된 그림 참조). 만약 학습자가 감각기억 내에서 빠르게 흘러가는 소리에 주의를 기울이면, 자료의 일부는 이후의 정보처리를 위해 "작업기억"으로 전송될 수 있다("단어 선택" 화살표 표시 참조). 마찬가지로, 만약 학습자가 빠르게 스쳐 지나가는 이미지에 주의를 기울이면, 자료의 일부는 이후의 정보처리를 위한 "작업기억"으로 전송될 수 있다("이미지 선택" 화살표 표시 참조). 이 시점에서 인쇄된 단어가 소리로 변환될 수 있다("이미지"에서 "소리"로 표시된 화살표 참조). 다음으로, 학습자는 언어모형을 형성하기 위하여 작업기억 내에서 소리를 정신적으로 조직할 수 있다("단어 조직화" 화살표 참조). 마찬가지로, 학습자는 이미지모형을 형성하기 위하여 작업기억 내에서 이미지들을 정신적으로 조직화할 수 있다("이미지 조직화" 화살표 참조). 마지막으로, 학습자는 언어모형과 이미지모형을 정신적으로 연결시킬 수 있으며, 또한 "장기기억"으로부터 인출된 선수 지식과 그것들을 연결시킬 수 있다("통합"으로 표시된 화살표 참조). 이 같은 과정을 거쳐 도출된 학습결과는 장기기억에 저장될 수 있다.

학습에서의 세 가지 인지과학 원리

그림에서 볼 수 있는 바와 같이, 멀티미디어 학습의 인지적 이론은 세 가지 기본 원리들과 일치한다.

1. *이중채널:* 맨 윗줄(단어, 귀, 소리, 언어모형)은 학습자가 언어적 표상을 구성하는 언어적 채널을 나타내고, 아랫줄(그림, 눈, 이미지, 이미지모형)은 학습자가 시각적 표상을 구성하는 그림에 관한 채널을 나타낸다.
2. *한정된 용량:* "작업기억"이라고 표기된 박스는 한 번에 몇 개의 선택된 단어와 이미지만을 저장하고 처리할 수 있다.
3. *능동적 정보처리:* 그림에서 이름 붙여진 화살표들은 이후의 정보처리를 위하여 유관 단어와 그림들을 선택하기, 단어와 그림들을 일관된 표상 안으로 조직화하기, 그리고 이러한 각각의 언어적 표상과 시각적 표상들, 그리고 장기기억으로부터 인출된 사전정보들을 통합하기 등과 같은 능동적인 인지 정보처리과정을 나타낸다.

학습에서 선수 지식의 중심적 역할

가장 오른쪽 박스에서 볼 수 있는 바와 같이, 선수 지식은 장기기억에 저장된다. 선수 지식은 "작업기억"으로 전송될 수 있는("통합" 화살표 참조) 스키마－일관된 정신적 표상 안으로 지식 요소들을 연결시키기 위한 조직구조－를 포함하고 있다. 작업기억은 용량에 제한이 있기 때문에 한 번에 단지 몇몇의 지식요소들만을 보유할 수 있게 된다.

스키마가 작업기억으로 전송될 때, 그것들은 일관된 구조 안으로 지식요소들을 선택하고 조직화하는 과정을 안내하는 것을 돕도록 사용될 수 있다. 이 과정에서, 많은 개별적 지식요소들은 하나의 단일구조 내로 조직화될 수 있는데, 이 단일 구조는 한 번에 더 많은 정보를 작업기억 내에 저장할 수 있도록 하나의 단일한 지식요소로 간주된다. 아래 표에서 볼 수 있는 바와 같이, 선수 지식은 (A) 입력되는 지식요소들을 선택하고 조직화하는 지식 구축 과정을 안내하고, (b) 단일 구조 내로 많은 지식요소들을 조직화하는 과정을 통해 작업기억 내에 더 많은 정보를 저장할 수 있도록 함으로써 학습에 결정적인 역할을 수행한다.

선수 지식이 학습을 촉진시키는 방법	
하는 일	작동 방법
작업기억 내에서 지식구성을 안내하기	장기기억으로부터 전송된 스키마가 입력되는 지식요소들을 선택하고 조직화하기 위한 조직구조를 제공한다.
작업기억 내에 더 많은 정보 허용하기	많은 개별적 지식요소들이 하나의 단일 지식구조 내로 조직화되어서 더 많은 정보가 제한된 작업기억 용량 내에서 처리될 수 있다.

(1) 유의미 학습에서의 세 가지 기억 저장소

아래 그림에서 볼 수 있는 바와 같이, 세 가지 기억 저장소들은 사각형으로 표시된다.

1. 제시될 때와 같은 감각적 형태로 정보를 유지하는 *감각기억*은 큰 용량을 가지고 있으며, 매우 짧은 시간 동안(1/4초 미만) 지속된다. 귀에 영향을 주는 구어적 단어들은 청감각기억 내에 소리로 짧게 유지되고, 눈에 영향을 주는 인쇄된 단어와 그림들은 시감각기억 내에 이미지로 짧게 유지된다.

2. 조직화된 형태로 정보를 유지하는 *작업기억*은 한정된 용량을 갖고 있으며, 적극적으로 처리되지 않으면 잠깐 동안만(30초 미만) 유지된다.

3. 조직화된 형태로 정보를 유지하는 *장기기억*은 커다란 용량을 갖고 있으며, 오랜 기간 동안(수년 동안) 지속된다.

유의미 학습에 관련된 세 가지 기억 저장소			
기억 저장소	형태	기간	용량
감각기억	감각적	매우 짧음	큼
작업기억	조직적	짧음	작음
장기기억	조직적	김	큼

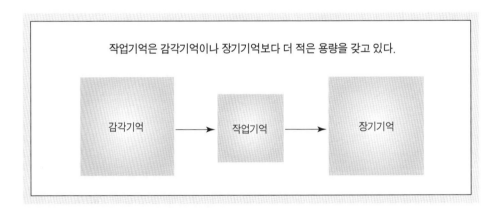

인간 정보처리체제의 구조는 학습에 시사하는 바가 크다. 용량 측면에서 보면, 다른 기억 저장소들은 용량이 큰 반면에 작업기억은 제한된 용량을 갖고 있기 때문에, 작업기억은 정보처리체제 내의 병목지점이다. 이를 보완하기 위해서, 학습자는 이후의 정보처리를 위해 관련 정보를 신중하게 선택해야 하며, 입력되는 자료를 구조화하는 것을 돕는 기존의 지식구조[스키마(schemas)라고 불림]를 사용하여 적은 용량을 필요로 하는 일관된 표상 안으로 정보를 정신적으로 조직화해야 한다. 이를 통해 우리는 정보 이해자가 되도록 설계되는 것이다.

(2) 유의미 학습에서의 세 가지 인지과정

"멀티미디어의 인지적 이론"에서 볼 수 있는 바와 같이, 세 가지 인지과정이 존재한다.

1. *선택*은 입력되는 단어와 그림들의 관련 부분에 주의를 기울이는 것이다.
2. *조직화*는 일관된 언어모형 안으로 선택한 단어들을 정신적으로 조직화하고, 일관된 이미지모형 안으로 선택한 이미지들을 정신적으로 조직화하는 것이다.
3. *통합*은 작업기억 안의 표상들과 장기기억으로부터 인출된 선수 지식들을 연결하는 것이다.

유의미 학습에 필요한 세 가지 인지과정		
과정	설명	위치
선택	관련 단어와 그림에 주의를 기울이기	감각기억에서 작업기억으로 정보를 전송
조직화	일관된 정신적 표상 안으로 선택된 단어와 그림들을 조직화하기	작업기억 내에서 정보를 조작
통합	언어적 표상과 시각적 표상들 각각과 선수 지식을 함께 연결시키기	장기기억으로부터 작업기억으로 지식을 전송

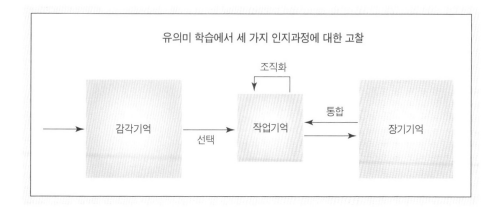

인지과정들은 인간의 정보체제 내에서 학습이 이루어지게 한다. 유의미 학습이 이루어지도록 하기 위해, 학습자는 아래 그림에서 이름 붙여진 화살표로 표현된—선택, 조직화, 통합—세 가지 인지과정 모두에 참여해야 한다. 능동적 학습은 학습하는 동안 이 같은 인지과정에 참여하는 것을 의미한다. 그림에서 작업기억으로부터 장기기억으로 들어가는 화살표는 부호화 과정을 나타낸다.

8 강한 영향력을 지닌 동기와 메타인지

학습이 이루어지는 원리에 관한 설명에서 빠진 것은 무엇인가? 아래 그림의 순서도에서 볼 수 있는 바와 같이, 정보처리는 주로 왼쪽에서 오른쪽으로 가는 경향을 나타낸다(즉, 바깥쪽에서 안쪽으로). 외부세계로부터 자료가 들어오면 우리는 유관 정보를 선택하고, 그것을 일관된 표상 안으로 조직화하고, 선수 지식과 통합하게 된다. 이러한 모든 인지적 정보처리과정을 활성화시키고 유지시키는 것은 무엇인가? 이러한 모든 인지적 정보처리과정을 안내하는 것은 무엇인가? 무엇을 해야 할지 어떻게 알게 되는가?

순서도에서 빠져있는 것은, 학습자가 적절한 학습과정을 사용할 때를 어떻게 알게 되는지(이것을 *메타인지*라 부를 수 있다), 그리고 학습자가 왜 그러한 과정들을 사용하기를 원하는지(이것을 동기라 부를 수 있다)에 관한 설명이다. 학습자의 학습과정에 대한 기여는 순서도 아래쪽에 학습자의 장기기억으로부터 선택, 조직화, 통합의 인지적 과정으로 되돌아가는 새로운 화살표를 추가함으로써 나타낼 수 있다. 추가된 화살들은 오른쪽에서 왼쪽으로(즉, 안쪽에서 바깥쪽으로) 이동함으로써, 이전에 설명

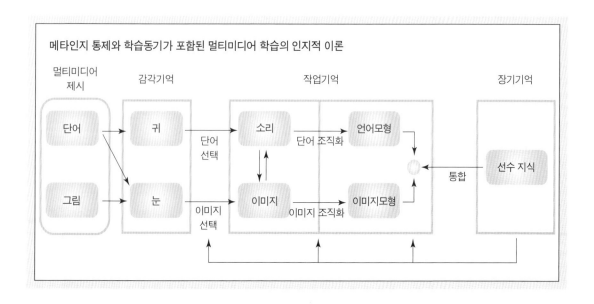

한 '학습의 인지적 모형' 절에 기술되어 있는 멀티미디어 학습의 인지적 이론을 보완해 준다. 추가된 화살표들은 학습에 있어서 동기와 메타인지의 역할을 인식하도록 하기 위함이다. 그렇지만 이것들이 어떻게 작용하는가에 대해 설명하기 위해서는 더 많은 노력이 요구된다. 다음 장에서는 필자가 "강한 힘을 가졌다"고 묘사한 동기와 메타인지의 역할에 대해 간략히 탐색해 보고자 한다.

(1) 학습 동기

학습에서 학문적 동기(academic motivation)의 역할은 무엇인가?

한 교수자가 통계적 검정을 계산하는 방법에 관해 잘 설계된 수업을 진행하고 있는 교실을 생각해 보자. Avery 학생은 노트필기하고, 이해가 잘 되지 않는 부분에 대해서는 질문도 하고, 제대로 알 때까지 연습문제들을 풀어보며 학습자료를 이해하기 위해 열심히 공부한다. 반면에, Beth라는 학생은 자료를 이해하기 위해 열심히 노력하지도 않고 수업에 거의 집중을 하지 않는다. 이러한 시나리오에서 우리는 Avery는 학습에 동기화되었다고, 그리고 Beth는 동기화되지 않았다고 말할 수 있다.

학습동기(혹은 학문적 동기)는 자료를 이해하기 위해—즉, 선택하고, 조직화하고, 통합하는 적절한 인지적 과정에 참여하기 위해—발휘하는 노력의 양을 반영한다. 만약 학습자가 학습하는 동인 적절한 인지적 정보처리활동에 참여하기 위한 노력을 기울이지 않는다면 유의미한 학습은 일어날 수 없다. 이러한 이유로 인해, 학습동기(혹

Avery는 학습하기 위해 많은 노력을 한다.	Beth는 학습하기 위해 노력을 거의 하지 않는다.

동기화된 학생은 학습내용을 이해하기 위해 열심히 노력한다.	동기화되지 않은 학생은 학습내용을 이해하기 위한 노력을 거의 하지 않는다.

은 단순하게 동기)는 유의미 학습에 있어서 필수적이다.

동기란 무엇인가?

동기란 목표 지향적 행동을 이끌고 유지하는 내적 상태를 말한다. 이러한 정의는 네 가지 구성요소들을 갖고 있다. 아래 표와 같이 동기란 개인적, 활성적, 열정적, 지향적 특성을 갖고 있다.

동기의 네 가지 구성요소

구성요소	설명	정의
개인적	학습자 내부에서 발생한다.	동기는 내적 상태이다.
활성적	행동을 일으킨다.	행동을 이끈다.
열정적	지속성과 강도를 촉진시킨다.	행동을 유지시킨다.
지향적	목표 성취를 지향한다.	목표 지향적 행동이다.

학습 환경의 맥락에서, 동기는 학습되어야 할 자료를 이해하는 데 필요한 인지적 처리에 관여하려는 학습자의 노력을 이끌고 유지시킨다.

(2) 동기가 작동하는 원리

동기가 작동하는 방법에 대한 다섯 가지 개념

학습자로서 자기 자신을 어떻게 보고 있는지 알아보기 위해 다음 몇 가지 진술문들에 답해보자. 당신이 동의하는 정도에 가장 일치하는 번호를 선택하여 동그라미 표시를 해 보자(1은 "매우 동의하지 않음", 7은 "매우 동의함"). 필자는 독자들이 어디에 동그라미 표시를 하는지 볼 수 없으므로 걱정하지 말고 표시해 보기 바란다.

학습 질문지

나는 학습이 이루어지는 원리에 대해 공부하는 것에 관심이 있다.

| 매우
동의하지 않음 | 1 | 2 | 3 | 4 | 5 | 6 | 7 | 매우
동의함 |

나는 이 책에 있는 자료의 유형을 학습하는 데 능숙하다.

| 매우
동의하지 않음 | 1 | 2 | 3 | 4 | 5 | 6 | 7 | 매우
동의함 |

내가 이 책의 특정 내용에 대한 퀴즈에서 낮은 점수를 받는다면, 내가 학습하는 데 충분한 노력을 기울이지 않았기 때문이다.

| 매우
동의하지 않음 | 1 | 2 | 3 | 4 | 5 | 6 | 7 | 매우
동의함 |

내가 이 책을 읽는 동안 나의 목표는 다른 사람보다 시험을 더 잘 보는 것이다.

| 매우
동의하지 않음 | 1 | 2 | 3 | 4 | 5 | 6 | 7 | 매우
동의함 |

나는 이 책을 읽는 동안 저자와 함께 일하고 있는 것처럼 느낀다.

| 매우
동의하지 않음 | 1 | 2 | 3 | 4 | 5 | 6 | 7 | 매우
동의함 |

각각의 진술문들은 학문적 동기가 어떻게 작동하는지에 대한 개념을 반영하고 있다. 첫 번째 진술문은 당신의 흥미에 기반한 동기이며, 두 번째 진술문은 당신의 자아효능적 신념에 기반한 동기를 반영한다. 세 번째 진술문은 당신의 귀인(attribution)에 기반한 동기를 나타내며, 네 번째 진술문은 당신의 목표 지향성에 기반한 동기에 관한 것이다. 그리고 마지막 진술문은 당신의 사회적 파트너십에 근거한 동기를 평가하기 위한 것이다. 동기에 대한 인지적 이론들 중 학문적 동기가 작동하는 원리에 대한 다섯 가지 가장 유명한 개념들은 다음과 같다.

1. *흥미에 기반한 동기*: 학생들은 학습할 자료가 개인적 가치가 있거나 흥미로울 때 더 열심히 공부한다는 아이디어. 예컨대, 학생들이 통계학을 좋아하고 주제가 진로목표나 개인적 관심을 뒷받침해 주는 가치를 갖고 있다면 그 학생들은 통계학 수업을 이해하기 위해 더 열심히 노력할 것이다.

2. *신념에 기반한 동기*: 학생들은 노력이 보상을 받게 될 것이라고 믿을 때 더 열심히 공부한다는 아이디어. 높은 *자기효능적 신념*을 갖고 있는 학생들은 특정한 학습과제, 예컨대 통계학을 학습할 때 자신이 잘 할 수 있을 것이라는 믿음을 갖고 있기 때문에 학습을 위해 더 많은 노력을 기울인다.

3. *귀인에 기반한 동기*: 학생들이 학문적인 성공과 실패를 그들의 능력이나 다른 요인의 탓으로 돌리기보다는 학습하는 동안 기울인 자신의 노력으로 돌릴 때 더 열심히 공부한다는 아이디어. *노력 기반 귀인*을 수행하는 학생들(즉, 학문적 성공과 실패를 학습하는 동안 자신이 기울인 노력의 수준에 기인하는 것으로 보는 학생들)은 그들이 성공을 원할 때 학습하는 동안 더 많은 노력을 기울이는 경향이 있다.

4. *목표에 기반한 동기*: 학생들이 그들의 학문적 목표가 단순히 제대로 잘 수행하지 못하는 것을 피하기 위해서(수행 회피형 목표)라기보다는, 잘 수행하기 위해서(수행 접근형 목표) 혹은 자료를 완전히 숙지하기 위해서(숙달형 목표)일 때 더 열심히 공부한다는 아이디어. 요컨대, 학생들의 학문적 목표는 학습에 얼마나 많은 노력을 기울이는가에 영향을 미친다.

동기가 작동하는 방법에 대한 다섯 가지 개념

기반	설명	예
흥미	학생들은 개인적 가치가 있는 자료들을 학습하는 데 더 열심히 노력한다.	나는 이것을 좋아한다.
신념	학생들은 그들의 노력이 보상받을 것이라고 믿을 때 더 열심히 공부한다.	나는 이것을 잘한다.
귀인	학생들은 그들의 성공과 실패를 노력에 귀인시킬 때 더 열심히 공부한다.	나의 성공이나 실패는 나의 노력에 달려있다.
목표	학생들은 그들의 목표가 자료를 숙달하는 것일 때 더 열심히 공부한다.	나는 이것을 배우고 싶다.
파트너십	학생들은 교수자를 사회적 동반자로 바라볼 때 더 열심히 공부한다.	우리는 이것을 학습하기 위해 함께 공부하고 있다.

5. *사회적 파트너십에 기반한 동기*: 학생들이 교수자를 그들과 함께 과제를 수행하기 위해 노력하는 사회적 동반자로 바라볼 때 더 열심히 공부한다는 아이디어. *사회적 대행이론(social agency theory)*에 따르면, 형식적 스타일보다는 대화형 스타일을 사용하거나 자기 표현적 코멘트를 제공해 주는 교수자 같은 사회적 단서들은 학습자가 스스로를 학습 팀의 일부로 느끼는 사회적 파트너십 같은 감정이 생기도록 도와줄 수 있다.

이러한 다섯 가지 개념화 요소들은 상호 배타적인 것이 아니다. 즉, 하나의 개념이 맞다고 해서 다른 것들이 틀렸다는 것을 의미하지는 않는다. 사실, 동기에 관한 연구는 이러한 다섯 가지 동기의 개념들 각각을 지지하는 증거들을 포함하고 있다.

동기에 관한 고전적 이론들은 주로 배고픈 쥐들과 같은 동물실험에서 유래했으며, 동기를 욕구감소─즉, 동기를 음식, 음료, 탐색 등을 위한 욕구와 같은 생물학적 욕구를 만족시키기 위해 수행하는 것으로 보는 입장)─에 근거하여 개념화한다. 이와 대조적으로, 학문적 동기─즉, 학생들이 학교에서 학습하도록 동기를 유발시키는 것)─에 대한 현대 이론들은 주로 학교 상황에서 사람을 대상으로 한 실험에서 유래하며, 학습자의 인지에 기반하여 동기를 개념화한다. 학습이 이루어지는 원리에 관해 완벽하게 설명하기 위해서는 학습에 대한 학습자의 동기가 갖고 있는 역할을 반드시 포함시켜야 한다.

(3) 학습에서의 메타인지

당신은 학습하는 방법(예컨대, 이 책의 내용을 학습하는 방법)에 대한 좋은 아이디어가 있는가? 이 질문에 대한 응답을 돕기 위해, 아래 설문지에 있는 각 문항들에 답해 보자.

학습 질문지

당신의 의견에 가장 적합한 빈칸에 체크표시를 하시오.

1. 이 책을 읽을 때 나는 내가 이미 알고 있는 것에 제재를 연관시키려고 노력한다.

___ 절대 그렇지 않다 ___ 거의 그렇지 않다 ___ 가끔 그렇다 ___ 종종 그렇다 ___ 항상 그렇다

2. 이 책을 읽는 동안 어떠한 것에 관해 혼동될 경우 다시 되돌아가 그것이 무엇인지 알아내려고 노력한다.

___ 절대 그렇지 않다 ___ 거의 그렇지 않다 ___ 가끔 그렇다 ___ 종종 그렇다 ___ 항상 그렇다

3. 이 책의 새로운 절을 자세히 공부하기 전에, 나는 종종 그것이 어떻게 조직되어 있는지를 살펴 보기 위해 미리 훑어본다.

___ 절대 그렇지 않다 ___ 거의 그렇지 않다 ___ 가끔 그렇다 ___ 종종 그렇다 ___ 항상 그렇다

4. 이 책에서 주장 또는 결론을 읽을 때마다, 나는 가능한 대안들에 관해 생각해 본다.

___ 절대 그렇지 않다 ___ 거의 그렇지 않다 ___ 가끔 그렇다 ___ 종종 그렇다 ___ 항상 그렇다

이러한 간단한 연습은 메타인지를 알아보기 위한 질문들에서 찾아볼 수 있는 항목의 유형 – 즉, 자신이 어떻게 학습하는지에 관해 스스로가 얼마나 잘 알고 있는지, 그리고 자신의 학습과정을 얼마나 잘 통제하고 있는지와 같은 유형 – 에 대한 예를 제공해 준다. 특히, 이 항목들은 더 긴 질문지인 Paul Pintrich와 Dale Schunk에 의해 개발된 학습동기전략 검사지(MLSQ)에서 일부 채택한 것들이다.

메타인지와 동기는 어떻게 관련되어 있는가?

메타인지적 전략은 학습자가 학습을 어떻게 증진시켜 나가는지에 관한 자신의 지식을 의미한다. 그러나 메타인지적 전략을 갖고 있는 것은 전체 맥락의 절반 정도밖에 되지 않으며, 학습의 과정에서 메타인지적 전략을 적절하게 사용하기 위해서는 또한 동기유발이 되어야 한다. 즉, 비록 자신의 학습을 어떻게 도울지 알고 있다고 하더라도, 학습하는 데 필요한 노력을 적극 수행해야 한다는 것이다.

메타인지란 무엇인가?

메타인지란 인간의 인지적 정보처리과정의 인식과 통제를 의미한다. 특히 학습에 초점을 맞출 경우, 메타인지는 학습자들이 어떻게 학습하는지에 관한 지식(예컨대, 학습 중의 인지적 정보처리과정)과 학습자의 학습과정의 통제(예, 인지적 정보처리과정

의 통제)를 뜻한다. 아래 표에서 볼 수 있는 바와 같이, 이 정의는 두 가지 구성요소들을 갖고 있는데, 메타인지적 인식과 메타인지적 통제가 그것이다.

메타인지의 두 가지 구성요소

구성요소	정의	예
인식	어떻게 학습하는지를 아는 것	나는 의역(paraphrasing)하는 것이 복잡한 아이디어를 학습하는 데 도움이 된다는 것을 알고 있다.
통제	학습을 점검하고 통제하는 방법을 아는 것	나는 내가 이 정의를 이해하는 데 어려움을 겪고 있다는 것을 알고 있기 때문에 그 정의를 나만의 언어로 다시 써 본다.

이해점검이란 무엇인가?

이해점검이란 읽고 있는 것을 얼마나 잘 이해하고 있는지에 대한 인식을 의미한다. Ellen Markman의 연구에서 사용된 아래의 내용을 읽어보고, 전체적으로 다 이해가 되는지에 관해 말해보도록 하자.

물고기 이야기

바다에는 많은 종류의 물고기들이 살고 있다. 어떤 물고기들은 물의 표면 가까이에서 살지만 어떤 것들은 해저 깊은 곳에서 산다. 해저에는 빛이 전혀 없다. 해저에 사는 어떤 물고기들은 그들의 음식을 색깔로 인지한다. 그 물고기들은 오로지 붉은색 균류들만을 먹을 것이다.

Ellen Markman의 연구에서 거의 모든 초등학교 학생들은 해저에는 빛이 없다는 것과 해저에서 색을 볼 수 있는 물고기들이 있다는 것 사이의 모순점을 알아차리지 못했다. 당신이 읽고 있는 것에서 모순점을 알아챘다는 것은, 당신이 이해점검 활동을 수행했다는 것을 의미한다. 이러한 사례는 이해점검이 메타인지의 특정한 유형이며, 학습자가 학문적 글읽기를 더 경험할수록 발달하게 된다는 것을 보여준다.

학습에서 메타인지의 역할은 무엇인가?

메타인지는 학습될 자료에 대한 학습자의 인지적 정보처리를 안내하는 것을 도와줌으로써 학습에서 주요 역할을 담당한다. *자기조절적 학습자*는 메타인지적 인식(어떠한 학습전략이 본인에게 유용한지 아는 것)과 메타인지적 통제(학습하는 동안 언제 그 전략을 활용하는 것이 적절한지를 인지할 수 있는 것) 모두를 가지고 있다. 그러므로 자기조절적 학습자들은 그들이 어떻게 학습하는지를 이해하고 있으며 그들의 학습을 점검하고 통제하기 위한 책임을 지고 있다. 교육의 주요 목적은 사람들이 자기조절적 학습자가 되도록 돕는 데에 있다. 학습이 이루어지는 원리에 관한 모든 설명들은 학습 도중 학습자의 메타인지적 정보처리과정의 역할을 반드시 포함하고 있어야 한다.

교과영역에서의 학습　9

학습이론을 정립하기 위한 시도과정에서, 학자들은 학습이론의 범위에 세 가지 접근
방법—일반 학습이론, 미니 학습모형, 교과영역 심리학—을 포함시켰다.

학습이론은 어느 정도 넓어야 하는가?

접근법	적용	전형적인 예
일반 이론	모든 상황	쥐가 미로를 통과하기 위해 학습한다. 혹은 사람이 단어 목록들을 암기한다.
미니 모형	작은 과제들	인간이 주어진 퍼즐유형을 풀기 위해 학습한다.
교과영역 심리학	학교 교과목들	인간이 읽기, 쓰기, 수학문제 풀기 등을 학습한다.

일반 학습이론

초기 역사 대부분 동안, 학습과학은 학습의 일반이론—즉, 모든 학습상황에 적용 가
능한 학습이론—을 정립하기 위해 노력했다. 학습의 일반이론을 세우고자 한 사례로
서 Thorndike의 효과의 법칙을 들 수 있다. 놀랍게도, 학습의 일반이론에 대한 탐구
는 주로 인위적인 실험실 과제들—배고픈 쥐가 미로를 통과하기 위해 어떻게 학습하
는지, 혹은 인간이 단어 목록을 어떻게 암기하는지와 같은—에 기반했다. 1900년대
중반까지, 학습과학은 학습이 이루어지는 원리에 관한 단일의 이론에 관한 합의에 도
달할 수 없는 수많은 경쟁적 학습이론들을 촉진시켜 왔다는 점은 분명하다. 요컨대,
일반 학습이론에 관한 연구는 너무 광범위했다.

미니 학습모형

그에 대한 반작용으로, 학자들은 학습에 대한 일반원리들을 포기하고 대신 특정 실험실 과제 내에서의 학습과 인지적 정보처리에 관해 설명하고자 했다. 예컨대, 계열적 순서 과제에서, 사람들은 "만약 Tom이 Pete보다 크고, Pete가 Jake보다 크다면, Tom은 Jake보다 큰가?"를 판단하도록 질문받았다. 대부분의 미니 모형들은 전통적인 인위적 실험실 과제들을 계속해서 사용했지만, 실험실 동물보다는 인간에 초점을 맞췄다. 1980년대에 이르러서, 미니 모형들을 연구하는 것이 학습이론과 동일하지 않다는 점이 분명해졌다. 즉, 미니 모형들에 대한 탐구는 너무 편협했다.

교과영역 심리학

그 이후에 학습과학을 변화시킬 흥미로운 일이 생겨났다. 일반 학습이론을 탐색하는 데에 대한 실패 혹은 작은 인위적 과제들의 미니 이론들을 만드는 데에서 오는 지루함으로 인해 학습과학이 무너지려고 하자, 학자들은 교육적으로 관련 있는 상황들을 포함한 좀 더 실제적인 상황에서 학습에 관해 연구하는 것에 흥미를 갖게 되었다. 그 결과 나타난 성공적인 일례로서 읽기, 작문, 수학 같은 학교 교과목을 어떻게 학습하는지에 대한 연구에 학습과학을 적용한 것을 들 수 있다. 즉, 교과영역의 심리학적 접근이 옳다는 것이 판명되었다.

　학교 교과목을 학습하는 것에 대한 연구를 검토하는 것은 이 책의 범위를 넘어서기는 하지만, 다음 표는 읽기, 작문, 수학, 과학 및 역사 같은 학교 교과목에 대한 예시 과제 및 모범적 연구결과들을 제시하고 있다.

　필자의 저서 『학습과 교수(Learning and Instruction)』에서, 필자는 핵심 교과영역에서 인간이 학습하는 방법에 대한 이해의 진보가, 교수를 향상시키기 위한 방법에 유용한 시사점을 제공한다고 밝힌 바 있다. 다음은 필자가 교과영역 심리학을 어떻게 묘사했는지를 나타낸다.

교과영역 심리학이란 무엇인가?

인간이 학습하고 발달하고 사고하는 방법의 일반이론에 관한 전통적인 실험심리학의 초점과는 달리, 오늘날 교육심리학은 각 교과 내에 존재하는 영역-특수

교과영역 심리학에 있어서의 진보

주제	예시과제	모범적 결과
읽기 유창성	인쇄된 단어를 소리 내어 읽는다.	음운인식(하나의 언어로 소리를 듣고 생성해 내는 능력)은 단어 읽는 법을 배우는 데 선수학습 요소이다.
독해	인쇄된 텍스트의 요점을 요약한다.	학습자의 선수 지식은 인쇄 텍스트로부터 학습하는 데 영향을 미친다.
작문	주어진 주제에 관한 에세이를 작성한다.	성공적인 작가들은 글쓰기를 시작하기 전에 계획 세우 는 활동을 수행하는 경향이 있다.
수학	문장제 문제를 푼다.	수에 대한 감각(예컨대 정신적 수직선의 개념)은 수학문 제를 풀기 위한 전제조건이다.
과학	실험에서 무슨 일이 일어날지 예측한다.	학습은 개념적 변화를 포함할 수 있다. (개념적 변화에 서 학습자들은 그들의 기존 개념이 관찰한 것들과 대립 함을 발견하게 된다.)
역사	논쟁에 대해 비평한다.	전문가들은 정보출처의 신뢰성에 대해 좀 더 고려하고 자 한다.

적 이론들을 정립하기 위해 노력한다. 예컨대, "인간은 어떻게 학습하는가?",
"인간은 어떻게 발달하는가?", 혹은 "인간은 어떻게 사고하는가?"와 같은 영
역-일반적 질문들을 제기하는 대신에, "수학문제들을 해결하기 위해 인간은 어
떻게 학습하는가?", "인간은 수학적 역량을 어떻게 발달시키는가?", 혹은 "인
간은 수학적으로 어떻게 사고하는가"라는 질문을 제기할 수 있다. 인위적인 실
험실 과제보다는 실제적인 학문적 과제의 맥락에서 인지에 관해 탐구함으로
써, 우리는 인간이 학습하고, 발달하고, 사고하는 방법에 관한 보다 실제적 이
론들을 개발할 수 있다. (pp. 31-32)

교과영역 심리학은 컴퓨터 문제를 수리하는 방법에 대한 효과적인 지도자가 되는
것에서부터 교수 설계자가 되는 방법에 이르기까지, 성인에게 직업 관련 역량을 훈련
시키는 범위로 확대된다. 마찬가지로, 이러한 접근법은 의약에서부터 상법까지를 포
괄하는 직업훈련 분야에도 적용된다.

IO   단어 목록을 통한 학습에 관해 우리가 알고 있는 여덟 가지

1800년대 후반 이래로 심리학자들은 인간이 어떻게 단어 목록을 학습하는가에 대해 주의 깊게 연구해 왔다. *자유회상목록 학습*에서, 학습자는 매 초마다 하나의 단어를 보고 순서에 관계없이 그 단어들을 회상해 내도록 요청받게 되었다. *연속목록 학습*에서, 학습자는 매 초마다 하나의 단어를 보고 순서대로 자신이 본 단어들을 회상해 내도록 요청받게 되었다. *쌍연합 학습*에서, 학습자는 일련의 단어쌍들을 보고 공부한 다음 각 쌍에서 첫 번째 단어가 주어진 후 다음 단어를 회상해 내도록 요청받았다.

목록 학습의 세 가지 유형

유형	설명	예
자유회상목록 학습	한 번에 하나의 단어를 제공받고 순서에 관계없이 단어들을 회상해 낸다.	미국의 50개 주를 학습한다.
연속목록 학습	한 번에 하나의 단어를 제공받고 제시된 순서대로 단어들을 회상해 낸다.	알파벳이나 요일을 암기한다.
쌍연합 학습	한 번에 하나의 단어쌍을 제공받고 첫 번째 단어에 대한 단서를 제공받았을 때 각 쌍에서 두 번째 단어를 회상해 낸다.	10개의 영어 단어 각각과 일치하는 스페인어 단어를 학습한다.

다음에 제시된 표에는 인간이 어떻게 단어 목록을 학습하는가에 대한 연구결과에 기반한 여덟 가지 주요 학습효과들이 제시되어 있다(그리고 그것들을 적용했을 때 그 효과가 검증된 이 책의 쪽수가 괄호 안에 표기되어 있다). 필자는 실제적인 학습과제와 관련되어 있는 효과들을 선별했다. 표에서 볼 수 있는 바와 같이, 첫 번째 두 개의 연구결과들(많은 상이한 학습상황들을 망라하여 적용될 수 있는 두 개의 일관된 결과들)은 각각 학습곡선과 망각곡선이다. 학습은 노력을 요구하며, 주기적으로 새로운 노력을 필요로 한다.

단어 목록의 학습에 관해 우리가 알고 있는 여덟 가지

연구결과	개념 설명	시사점
학습곡선 [53쪽]	단어 목록을 더 공부할수록 더 많이 학습하게 된다.	학습결과는 과제에 대한 시간에 따라 달라진다.
망각곡선 [54쪽]	단어 목록을 학습하고 난 후 시간이 오래 지날수록 더 적게 기억하게 된다.	망각은 학습 이후의 시간에 따라 달라진다.
구체성 효과 [59쪽]	명확한 단어들은 추상적인 단어들보다 기억하기 쉽다.	학습은 단어와 그림을 위해 분리된 채널들을 갖고 있는 인지적 체제 안에서 발생한다.
기억용량 효과 [60쪽]	특정 자료의 제시 후에 인간이 기억해 낼 수 있는 단어들의 가장 긴 목록은 7개 이하의 단어들을 포함한다.	학습은 정보처리 용량이 제한되어 있는 인지적 체제 안에서 발생한다.
자유회상에 있어서의 군집화	제시 순서와 상관없이 범주(예컨대 가구, 신체 부분들, 직업)에 의해 목록에 있는 단어들을 회상하는 경향이 있다.	학습하는 동안의 조직적 과정들은 학습에 영향을 미친다.
순행간섭으로부터의 해방	기억력은 같은 범주의 단어들을 포함하고 있는 단어 목록을 위해서는 감소하지만, 단어 목록을 새로운 범주로 전환하면 회복되게 된다.	학습은 새로운 자료를 기존의 지식에 동화시키는 것을 포함할 수 있다.
상태 의존적 학습	만약 시험상황이 학습상황과 유사하다면 단어 목록을 더 잘 기억해 낸다.	학습은 구체적 맥락 안에 놓여 있다.
정보처리 수준	만약 학습하는 동안에 단어의 심층적 처리활동에 관여하고 있다면 더 많이 기억해 낸다.	학습하는 동안의 생성적 정보처리 과정은 학습에 영향을 미친다.

그 다음 두 개의 연구결과들은 인간학습체제의 특징들을 의미하는데, 인간학습체제는 단어와 그림을 위한 분리된 채널들을 갖고 있으며(필자가 *이중채널 원리*라고 부름), 채널들은 정보처리 용량이 제한되어 있다(필자가 *한정된 용량 원리*라고 부름).

끝으로, 나머지 네 가지 각각의 결과들은 학습하는 동안 적절한 인지적 정보처리 과정을 필요로 하는 인간학습체제의 세 번째 특징 측면과 관련되어 있다. 이러한 결과들은 학습은 입력되는 자료를 정신적으로 조직화하고 그것을 기존의 지식에 동화하는 것을 포함할 수 있음을 보여주고 있다. 즉, 학습을 단순히 정보를 기억에 덧붙이는 과정이라기보다는 일종의 이해활동으로 볼 수 있다는 것이다.

필자가 왜 유의미 학습에 초점을 맞추고 있는 책에 목록학습에 관한 절을 포함시켰겠는가? 단어 목록에 관해 수십 년 동안 수행된 연구에서 널리 알려진 연구결과는, 심지어 열악한 학습 환경에서도 학습자들은 이해에 관여하기 위한 방식을 드러낸다는 것이다. 이 책의 다음 장에서는 이러한 기본적인 학습 결과물들의 교수적 함의에 관해 다루게 된다.

참고문헌 및 추천할 만한 읽을거리

36~40쪽

Bransford, J. D., Brown, A. L., & Cocking, R. R. (Eds.). (1999). *How people learn.* Washington, DC: National Academy Press.
저명한 연구자들 팀이 저술한 국가연구위원회 수탁과제로서 인간이 학습하는 방법에 관한 연구 증거들에 대한 요약

Mayer, R. E. (2008). *Learning and instruction*(2nd ed.). Upper Saddle River, NJ: Pearson/Merrill Prentice Hall.
읽기, 작문, 수학, 과학 교과영역의 학습에 관한 최신 연구들의 요약

41~42쪽

Shavelson, R. J., & Towne, L. (Eds.). (2002). *Scientific research in education.* Washington, DC: National Academy Press.
교육에서의 과학적 연구수행을 위한 여섯 가지 원리들을 요약한 합의문서

43~45쪽

Pressley, M., & Woloshyn, V. (1995). *Cognitive strategy instruction that really improves children's academic performance.* Cambridge, MA: Brookline Books.
전략 훈련에 관한 연구들의 고찰

Thorndike, E. L., & Woodworth, R. S. (1901). The influence of improvement in one mental function upon the efficiency of other mental functions. *Psychological Review, 8,* 247-261.
학습의 전이에 관한 고전적 연구물

46~57쪽

Barlett, F. C. (1932). *Remembering.* London: Cambridge University Press.
유의미 학습에 관한 중요한 연구를 기술한 학습과학 분야의 고전 저서

Eddinghaus, H. (1964). *Memory.* New York: Dover. [Originally published in German in 1885.]
학습에 관한 세계 최초의 실험을 기술한 학습과학 분야의 고전 저서

Thorndike, E. L. (1911). *Animal learning.* New York: Macmillan.
세계 최초의 교육심리학자에 의해 기술된 학습과학 분야의 고전 저서

58~63쪽

Doctorow, M., Wittrock, M. C., (1978). Generative processes in reading comprehension. *Journal of Educational Psychology, 70*, 109-118.
Wittrock의 생성적 학습이론을 위한 증거를 제공하는 획기적인 논문

Miller, G. (1956). The magic number seven, plus or minus two: Some limits on our capacity for processing information. *Psychological Review, 63*, 81-97.
학습과학에 있어서 인지적 혁명의 시작을 알리는 획기적인 논문

Paivio, A. (1971). *Imagery and verbal processes.* New York: Holt, Rinehart and Winston.
그림표상과 언어표상 간의 구분을 명확히 부각시키는 학습과학에 관한 고전 저서

Wittrock, M. C. (1989). Generative processes in comprehension. *Educational Psychologist, 24*, 345-376.
Wittrock의 생성적 학습에 관한 설명

64~69쪽

Mayer, R. E. (2009). *Multimedia learning* (2nd ed.). New York: Cambridge University Press.
멀티미디어 학습의 인지적 이론에 기반을 둔 인간학습 원리에 관한 설명

70~78쪽

Markman, E. (1979). Realizing that you don't understand: Elementary school children's awareness of inconsistencies. *Child Development, 50*, 643-655.

McCormick, C. B. (2003). Metacognition and learning. In W. M. Reynolds & G. E. Miller (Eds.), *Handbook of psychology* (vol. 7; pp. 79-102) New York: Wiley.
학문적 학습에 있어서 메타인지에 관한 연구와 이론들의 개관

Moreno, R., & Mayer, R. E. (2006). Interactive multimodal learning environments. *Educational Psychology Review, 19*, 309-326.
매체를 활용한 학습의 인지적-정의적 모형에 관한 설명. 동기와 메타인지의 역할을 나타내는 화살표들을 포함하고 있음.

Pintrich, P. R., & Schunk, D. H. (2002). *Motivation in education.* Upper Saddle River, NJ: Pearson/Merrill Prentice Hall.
학문적 동기에 관한 연구와 이론들의 고찰

79~81쪽

Mayer, R. E. (2008). *Learning and instruction* (2nd ed.). Upper Saddle River, NJ: Pearson/Merrill Prentice Hall.
읽기, 작문, 수학, 과학 같은 교과영역에서의 학습에 관한 최신 연구들의 요약

82~84쪽

Tarpy, R., & Mayer, R. E. (1978). *Foundations of learning and memory.*
Glenview, IL: Scott, Foreman & Co.
학습에 관한 고전적 연구들의 고찰

제2부

교수는 어떻게 이루어지는가?

일단 교육적 맥락에서 학습이 어떻게 이루어지는가를 이해했다면, 학습의 과학적 적용의 다음 단계는 의도된 학습결과를 향상시키기 위한 교수활동을 설계하는 것이다. 교수는 학습자의 지식변화를 향상시키기 위한 교수자의 노력이라 할 수 있다. 교수과학은 학습의 과학에서 제안된 것과 교수자가 언제, 어디서, 어떻게, 무엇을 할 것인가를 결정하는 것과 같은 교수방법을 규명하는 것과 관련되어 있다.

여러분이 대안적인 교수방법을 고민할 때, 무엇을 해야 하는지, 언제 그것을 해야 하는지, 그리고 어떻게 그것을 해야 하는지와 같은 질문은 매우 적합한 것이다. 이러한 것들이 교수과학에서 강조되는 중요사안들인 것이다.

여기에서는 아래 제시된 하위주제들을 탐색해 봄으로써 교수가 어떻게 이루어지는가에 대한 간단한 개요를 제공하고자 한다.

교수과학에서 다루는 주요 내용

1. 교수란 무엇인가?
2. 교수과학이란 무엇인가?
3. 교수목표란 무엇인가?
   (1) 교수목표의 세 가지 수준
   (2) 교수목표에서 지식의 다섯 가지 유형
   (3) 교수목표에서 인지 정보처리과정의 여섯 가지 유형
4. 교수는 어떻게 이루어지는가?: 인지용량의 세 가지 요구
5. 교수활동은 어떻게 이루어지는가?: 세 가지의 교수 시나리오
6. 교수학습 자료설계를 위한 열두 가지 교수설계 원리
   (1) 외생적 정보처리과정을 감소시키기 위한 근거기반 교수설계 원리
   (2) 필수적 정보처리과정을 관리하기 위한 근거기반 교수설계 원리
   (3) 생성적 정보처리과정을 촉진하기 위한 근거기반 교수설계 원리
7. 효과적인 학습을 위한 여덟 가지 교수설계 원리
   (1) 실천하기에 의한 학습을 위한 근거기반 교수설계 원리
   (2) 생성하기에 의한 학습을 위한 근거기반 교수설계 원리
8. 학습하는 과정에 있어 인지 정보처리의 안내 방법
   (1) 선택하기를 위한 교수기법
   (2) 조직화하기를 위한 교수기법
   (3) 통합하기를 위한 교수기법
9. 유명하지만 논란의 여지가 있는 세 가지 교수 원리
10. 능동적 교수-학습 방법에 관한 고찰

I 교수란 무엇인가?

교수는 학습의 촉진을 위하여 교수자가 학습자의 환경을 조작하는 활동을 의미한다. 이러한 정의는 두 가지의 의미를 함축하는데, 교수는 교수자가 행동하는 것을 의미하고, 교수자의 의도는 학습자의 학습을 도와주기 위한 것을 의미한다.

이 두 가지 의미에 대해서 보다 자세히 살펴보자. 첫째, 교수는 환경의 조작을 의미한다. 이 조작은 강의 전달자로서 교수자의 웃음과 몸짓과 같이 단순한 것일 수도 있다. 학습자 환경의 조작은 소위 교수방법(교수처치)이라고 불린다.

둘째, 조작은 학습자의 지식변화를 일으키는 것을 의미한다. 교수방법이나 처지가 효과적이라는 것은 학습자의 지식을 의도적으로 변화시켰다는 것을 의미하는 것이다.

교수는 학습을 촉진하기 위하여 교수자가 학습자의 환경을 조작하는 활동을 의미한다.

교수란
1. 학습자의 경험을 조작하는 것
2. 의도적으로 학습자의 지식변화를 위하여

다음 그림은 교수, 학습, 그리고 평가의 관계를 보여준다. 교수의 목적은 지식의 변화를 이끌 수 있는 학습자의 경험, 즉 학습환경을 창출하는 것이다("조작"에서 "경험"으로, "경험"에서 "지식"까지 화살표로 표시됨). 그리고 학습은 학습자의 경험을 이끌 수 있는 지식의 변화를 의미하는 것이다("경험"에서 "지식"까지 화살표로 표시됨). 간단하게 말하면, 학습에 대한 이야기 없이 교수를 언급한다는 것은 불가능하다. 왜냐하면, 학습은 교수목적의 한 부분이기 때문이다. 그림에서의 마지막 단계는 교수조작의 효과성을 결정하기 위한 필수적인 단계로써 무엇을 학습하였는가에 대한 평가가 포함되어 있다. 우리는 학습자의 수행의 변화를 감지함으로써 학습자의 지식변화를 추론할 수 있다("지식"에서 "수행"까지 화살표로 표시됨).

여러분이 보는 것과 같이 교수 에피소드에는 교수자와 학습자 두 개의 캐릭터가 존재한다. 교수자의 역할은 의도된 지식의 변화를 이끌 수 있는 학습자의 경험을 제공하는 것과 같은 학습환경을 창출하는 것이다. 즉, 교수자가 무엇을 해야 하는가로 표현될 수 있다. 학습자의 역할은 의도된 지식변화를 이끌 수 있도록 고안된 학습환경과 상호작용하는 것이다. 즉, 학습자의 뇌안에서 무엇이 일어나는가로 표현될 수 있다. 예를 들어, 평가에 의해 학습자의 수행을 관찰함으로써 어떠한 학습이 발생했는지를 확인할 수 있다. 즉, 학습자가 무엇을 하는가로 표현될 수 있다. 간단하게 말해서, 교수자는 학습경험을 고안하는 것이고, 학습자는 교수자가 고안한 학습환경을 경험하는 것이다.

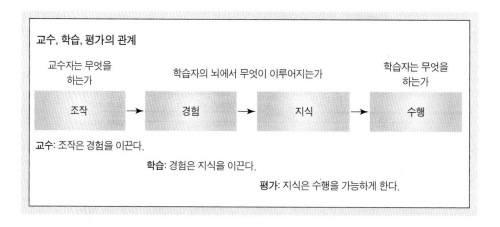

종합하면, 교수는 학습자 환경의 조작을 통해 학습자에게 경험을 제공할 때 발생하게 된다. 즉, 교수는 학습자의 지식변화를 이끄는 것을 의미한다. 학습은 학습자에게 경험을 제공함으로써 지식의 변화를 이끌 수 있을 때 발생하게 된다. 그리고 평가는 학습자의 지식이 확인될 수 있는 수행으로 관찰 가능할 때 발생하게 된다.

2   교수과학이란 무엇인가?

교수과학은 서론에서 정의를 내렸지만 다시 한 번 그 정의를 정교화시켜 보자.

교수과학이란 무엇인가?

정의: 교수과학은 인간의 학습을 도와주기 위한 과학적 연구를 의미한다.

목적: 교수설계의 조사기반 원리는 교수방법이 지식의 유형, 학습자의 유형, 환경의 유형 등의 변인을 조작하여 효과적인 수업을 안내하기 위한 것을 의미한다.

준거: 교수방법은 경험적 증거에 기반한다.

교수과학은 어떻게 인간의 학습을 도와줄 수 있는가에 대한 과학적 연구를 의미한다. 과학적으로 만든다는 것은 교수설계가 유행, 이데올로기, 또는 일반적 관습에 기반한 것이라기보다는 조사연구를 통해 검증된 것을 의미한다.

교수과학의 목적은 효과적인 교수의 설계 방법을 위한 조사기반 원리를 결정하기 위한 것이다. 각각의 원리는 특정 유형의 학습자, 지식 그리고 환경과 같이 가장 효과적이라는 경계조건 아래에 있는 것 같다.

교수방법을 사용하기 위한 주요 준거는 그것이 효과적이라는 확실한 증거가 있느냐에 달려있다. 교수방법이 학습을 발생시켰는가를 확인하기 위한 평가의 주요 의미는 특별한 교수방법으로 학습한 학습자와 그렇지 않은 학습자 사이의 학습결과(예, 수행평가)를 비교하는 실험을 실행하는 것이다.

근거기반 실천은 무엇인가?

교수과학은 엄격한 연구결과에 의해 지지되는 교수실제로서 *근거기반 실천(evidence-based practice)*을 지원하는 것을 추구한다. Richard Shavelson과 Lisa Towne이 미국 국가 조사 위원회 보고서(National Research Council Report) 『교육에서의 과학적 연구

(Scientific Research in Education)』에서 근거기반 실천의 사례를 제시하였다.

근거기반 실천의 사례

"어느 누구도 연구 없이 달에 가거나 질병을 없애는 것을 생각할 수 없다. 이와
같이, 그들을 안내할 수 있는 연구기반 지식 없이 유의미한 효과가 있는 교육에
서의 재건 노력은 기대할 수 없다." (p. 1)

교육에서의 결정이 항상 연구근거에 기반하는 것은 아니다. 『교육에서의 과학적 연
구』에서 Richard Shavelson과 Lisa Towne은 교육에서의 결정은 가끔 이데올로기나 여
론에 기반하기도 한다고 언급하고 있다.

대안적 근거기반 실천

"교육에 대한 결정은 가끔 전혀 과학에 기반하지 않은 것에 의해 이루어지기도
하는데, 이것은 다소 이데올로기나 깊은 신념에 의해 이루어지는 경향이 있
다." (p. 17)

교육적 연습에 대한 의사결정의 세 가지 접근, 이데올로기, 일반적 관습, 그리고
근거기반 접근에 대해 생각해 보자. 이데올로기적 접근에서 결정은 과학적으로 검증
되지 않은 이론이지만 러시아의 유명한 심리학자 Lev Vygotsky가 제안한 사회적 구
성주의, 즉 "유의미 학습은 동료들과의 토론을 통한 그룹활동에서 발생한다."는 이데
올로기에 기반한다. 일반적 관습의 접근에서 결정은 4개 그룹이 수학문제를 함께 해
결하는 과정에서 최고의 수행을 보이는 학생의 의견을 따르는 것과 같이 해당 영역에
강한 영향력을 발휘하는 리더의 의견에 기반한다. 이와 같이 교육을 위한 결정에 있
어 이데올로기와 일반적 관습이 잘못된 점은 무엇인가? 이런 접근의 문제는 Robert
Slavin과 동료들이 "그룹학습에서 단독그룹에 대한 보상을 주는 것은 일반적으로 비
효과적이다."라고 언급한 『Handbook of Psychology』에의 연구근거 총체를 요약한
것과 같이 엄격한 연구근거와 갈등을 일으킨다.

교수실천의 세 가지 접근

접근	협력집단을 포함한 예
이데올로기적 접근	Vygotsky에 의하면, 학습은 동료와의 토론을 통한 사회적 맥락에서 발생한다.
일반적 관습 접근	수학교육에서 영향력 있는 리더는 협력학습의 보편적 유용성을 지적한다.
근거기반 접근	연구결과에 의하면, 만약 학생들이 그룹수행에 기반한 보상을 받는다면, 그룹에서 협력한 학생들은 더 나은 학습결과를 보여주지 않는다.

교수목표란 무엇인가? 3

교수목표는 학습자의 지식에서 의도된 변화를 명시하는 것이다. 교수목표는 다음 질문에 대한 답변이다: 학습자가 교수 전에 알지 못했던 내용을 교수 후에 알게 된 것은 무엇인가? 완벽한 교수목표는 세 부분으로 이루어진다.

1. *학습자가 무엇을 학습하는가*: 학습하게 되는 지식을 명시한다.
2. *학습자가 어떻게 지식을 사용하는가*: 학습자가 과제를 수행하는 데 있어 어떤 지식을 활용할 것인가를 명시한다.
3. *학습자의 수행을 어떻게 해석할 수 있는가*: 학습자의 수행을 해석하는 방법을 기술한다.

『학습자가 아는 것을 알기: 교육평가의 과학과 설계(The Science and Design of Educational Assessment)』에서 James Pellegrino, Naomi Chudowsky, 그리고 Robert Glaser는 평가될 수 있는 성취도, 학생의 성취도에 대한 근거를 수집하는 데 사용될 수 있는 과제, 그리고 결과적인 근거를 해석하는 데 활용될 수 있는 방법 등과 같이 이 세 가지의 요소를 언급하고 있다. 많은 경우, 이 세 가지 요소는 학습자가 대상 과제(target task)에 성공적이라는 것을 암시한다. 교수목표는 학습하게 될 내용을 기술하는 것과 같이 목적으로서 미래 시제로 진술되고, 반대로 평가는 학습한 것을 기술하는 것으로서 과거 시제로 진술된다.

교수목표란 무엇인가?

교수목표는 학습자의 지식에서 의도된 변화를 명시하는 것이다. 이것은 (1) 학습한 것, (2) 사용하는 방법, 그리고 (3) 학습자의 수행을 해석하는 방법의 기술을 포함한다.

교수목표를 생각해 보자. "학생은 두 자리 수 곱셈 문제를 해결할 수 있을 것이다." 이 경우, 세 부분은 다음과 같다.

1. 학습한 것은 두 자리 수 곱셈의 절차이다.

2. 사용하는 방법은 35 × 57 = _____ 와 같은 두 자리 수 곱셈 문제를 해결하는 것이다.

3. 학습자의 수행을 해석하는 방법은 답을 맞힌 개수에 의해 이루어질 수 있다.

『교수목표 세우기(Preparing Instructional Objectives)』라는 Robert Mager의 저서에서 제안한 전통적인 정의에 따르면, *교수목표*는 (1) 수행되는 *과제*, (2) 그 과제가 수행될 *조건*, 그리고 (3) 수행이 평가될 수 있는 *준거* 등의 세 가지 요소를 진술해야 한다고 언급하고 있다.

인지와 수행의 구별

교수목표에 대한 정의는 학습(learning)과 수행(performance)의 구별을 포함하고 있다. 학습은 지식의 변화로 간주되고, 수행은 그 지식을 활용할 수 있는 과제에 대한 학습자의 수행으로 간주된다. 교수자는 학습자의 수행에 기반해서 학습자의 지식이 변화되었음을 추론할 수 있다.

제한점

알다시피 교수목표의 정의는 인지적 변화 즉, 지식의 변화에 제한되어 있다. 하지만, 필자는 지식을 감정과 관련된 신념, 사회과제의 수행을 안내하는 사회적 지식, 그리고 신체적 과제의 수행을 안내하는 운동지식 등과 같이 광의의 의미로 사용하고자 한다.

(1) 교수목표의 세 가지 수준

『학습, 수업, 그리고 평가를 위한 분류체계: Bloom의 교육목표 분류체계 수정(A Revision of Bloom's Taxonomy of Educational Objectives)』에서 Lorin Anderson과 동료들은 목표의 세 가지 수준을 구별하였다.

1. *전체목표(global objectives)*는 교육자를 대상으로 제공하기 위해 의도된 일반적 진술문을 의미한다.

2. *교육목표(educational objectives)*는 교육과정 개발을 위해 안내하기 위해 의도된 적당히 구체화된 진술문을 의미한다.

3. *교수목표(instructional objectives)*는 단위수업이나 분절화된 수업의 준비를 안내하기 위해 의도된 구체화된 진술문을 의미한다.

다음 표는 목표의 세 가지 수준에 대한 요약과 각각의 예를 제시하고 있다.

목표의 세 가지 수준

수준	범위	목적	예
전체	일반적	비전 제공	모든 학생은 학습을 위한 준비로써 학교에 다닐 것이다.
			모든 학생은 그들의 정신을 잘 활용하여 학습할 것이다. 그래서, 그들은 책임 있는 시민의식, 평생학습, 그리고 국가의 경제에서 생산적인 고용을 위한 준비를 하게 될 것이다.
교육	중간적	교육과정 설계	음악점수를 읽기 위한 능력
			다양한 그래프의 유형을 해석할 수 있는 능력
교수	구체적	수업 준비	학생은 두 자리 수 곱셈문제를 해결할 수 있을 것이다.
			학생은 포괄적, 교육적, 또는 교수적 목표를 분류할 수 있다.

지금, 이번 장에서 교수목표를 어느 정도 이해했는지 살펴보자. 아래에 제시된 교수목표의 정의가 올바른 것에 체크해 본다.

교수목표에 체크하시오.

_____ 모든 학생들은 일주일마다 최소 30분씩 컴퓨터기반 기술을 학습하게 될 것이다.

_____ 사회에서 기술의 역할 이해하기

_____ 교육용 소프트웨어의 사용 능력

_____ 그래프, 텍스트, 그리고 소리를 포함한 파워포인트 프레젠테이션 개발 능력

만약 여러분이 오직 네 번째에만 체크를 했다면, 여러분은 목표를 분류하는 방법을 학습한 것을 의미한다. 첫 번째 진술은 목표 진술이 전혀 아니다. 왜냐하면, 이것은 학습자의 지식에서의 변화라기보다는 학생들이 수행되기를 원하는 활동을 기술하고 있기 때문이다. 이것은 학습시간을 다양한 교과영역에 배정할 것인가를 관리하는 교육 리더에게 확실하게 적합하지만, 구체화된 교수목표에는 적합하지 않다. 두 번째 진술은 포괄적 목표이고 세 번째 진술은 교육적 목표이다. 이 둘 다 교수목표로서 이해하기에는 충분히 구체적이지 않다. 하지만, 가끔은 학년 수준의 기대, 목표 표준화, 그리고 목표 구조화와 같이 수업에서 실행되기 어려운 내용들을 추출하여 포괄적 또는 교육적 수준에서 진술할 수 있다.

이 책에서, 필자는 교수목표에 주요하게 초점을 맞췄다. 왜냐하면, 교수자들은 학습자의 지식에 있어 바람직한 변화를 명시할 필요가 있기 때문이다.

(2) 교수목표에서 지식의 다섯 가지 유형

교수목표에서 첫 번째 요소는 지식에서의 변화를 명시하는 것이다. 지식은 학습, 교수, 그리고 평가에서 핵심이다. 그러므로, 학문적 학습과 관련된 지식의 유형을 구별하는 것은 가치 있는 것이다. 아래의 표는 질적으로 다른 다섯 가지 유형의 지식 즉, 사실적 지식, 개념적 지식, 절차적 지식, 전략적 지식, 그리고 신념기반 지식 등을 구별하고 있다.

지식의 다섯 가지 유형

유형	정의	예
사실	세상에 대한 사실적 지식	한국의 수도는 서울이다.
개념	종류, 도식, 모형, 또는 원리	숫자 65에서 6은 십자리로 간주된다.
절차	단계적 절차	252 x 12의 곱셈
전략	일반적 방법	문제를 부분으로 분해하기
신념	학습에 대한 생각	"나는 통계학습에 능숙하지 않다."고 생각하기

많은 학문적 과제에서 성공하기 위하여 학습자들은 다섯 가지 유형의 지식 모두를 가지고 있어야 할 필요가 있다. 예를 들어, 연산언어 문제를 해결하기 위하여, 학습자들은 사실("1달러는 100페니다."), 개념(일의 종류, 혼합물, 시간 및 거리 비율 문제), 절차(기본 연산을 수행할 수 있는 것), 전략(문제를 부분으로 분해함으로써 해결안의 계획을 개발할 수 있는 것), 그리고 신념("나는 이것에 능숙하다."라는 생각) 등을 알 필요가 있다. "전략"으로 명명된 네 번째 유형은 전략(다른 지식)을 관리하기 위한 전략으로서 *메타전략(meta-strategies)*을 포함하고 있다. 메타전략은 특별한 해결계획안이 작동하는지 또는 특별한 전략이 주어진 과제에 적합한지를 판단하기 위해 활용된다. 어떤 경우, 학습의 요소("나는 통계를 좋아하지 않는다.")에 대한 정의적 평가(또는 태도)는 다섯 번째 유형에 포함될 수 있다.

교수목표는 지식의 다섯 가지 유형의 하나 또는 그 이상의 변화를 포함한다.

(3) 교수목표에서 인지 정보처리과정의 여섯 가지 유형

교수목표에서 두 번째 단계는 지식을 어떻게 활용할 수 있는지를 명시하는 것이다. 아래의 표에는 학습자의 지식에 적용할 수 있는 여섯 가지 유형의 인지 정보처리과정을 구분해 놓았다. 이것은 교수목표 유형의 분석으로 잘 알려진 Bloom의 교육목표 분류체계에 기반을 두고 있다.

보는 바와 같이, 여섯 가지의 인지 정보처리 유형은 사용되는 지식 유형에 따라 다르게 적용될 수 있다. 예를 들어, 공식을 기억하는 것은 정답을 계산하기 위해 사용하는 것과 공식이 정확하게 사용되었는지를 평가하는 것과는 사뭇 다르다. 교수목표는 다섯 가지 유형의 지식 중 하나가 적용된 하나의 인지 정보처리 유형을 포함한다.

인지 정보처리의 여섯 가지 유형

유형	정의	예
기억	장기기억으로부터 관련 지식 인출하기	이항확률 공식 진술하기
이해	교수 메시지로부터 의미 구성하기	자신의 말로 이항확률 공식 재진술하기
적용	주어진 상황에 절차를 수행하거나 활용하기	주어진 N, r, p 변인에 대한 이항확률 계산하기
분석	구성요소들로부터 물질을 나누고 그 부분이 다른 부분 또는 전체와 어떠한 관련이 있는지를 결정하기	주어진 확률단어 문제에서 관련 있는 숫자와 그렇지 않은 숫자 구분하기
판단	준거와 기준을 기반으로 판단하기	두 가지 방법 중에 확률단어 문제를 해결할 수 있는 가장 최선의 방법 결정하기
창조	일관되거나 기능 전체 요소를 모두 넣기, 또는 새로운 패턴이나 구조에 요소를 재조직하기	이항확률의 발견에 대한 에세이 계획하기

교수는 어떻게 이루어지는가?: 인지용량의 세 가지 요구

4

교수의 목적은 학습자의 학습목표를 성취하는 것을 도와주는 것이다. 구체적으로, 교수의 목적은 학습자가 학습하는 동안 학습자의 인지 정보처리과정을 안내함으로써 의도된 지식을 구성할 수 있도록 도와주는 것을 의미한다. 이러한 인지 정보처리과정 은 인지 정보처리를 위해 제한된 용량을 가지고 있는 학습자의 인지체계 안에서 반드 시 이루어져야 한다. 교수설계의 주요 도전적 과제는 학습자가 학습하는 동안 학습자 의 인지 정보처리 용량을 초과하지 않으면서 학습자의 적절한 인지 정보처리과정이 이루어질 수 있도록 보장하는 것이다. 간단하게 말해서, 교수 설계자는 두 개의 경쟁 적인 목적을 가지고 있다. 하나는 학습하는 동안 적절한 인지 정보처리과정이 일어 날 수 있도록 하는 것이고, 다른 하나는 학습자의 인지체계가 과부하되지 않도록 하 는 것이다.

다음 표에는 학습하는 동안 학습자의 인지체계에 요구되는 세 가지의 주요한 정 보처리과정 즉, *외생적 정보처리과정(extraneous processing), 필수적 정보처리과 정(essential processing), 생성적 정보처리과정(generative processing)*이 제시되어 있다.

외생적 정보처리과정은 학습자가 가지고 있던 이전의 정보처리 용량을 낭비하는 것을 의미하고, 이것은 부적절한 교수설계(또는 학습전략)가 원인이 된다. 필수적 정 보처리과정은 제시된 관련 학습내용을 선택하기와 조직하기와 같이 작업기억에 학습 내용을 표상하도록 요구되고, 이것은 한 번 정도는 작업기억을 활용해야 하는 관련 없는 개념의 숫자와 같은 학습내용의 복잡성이 원인이 된다. 생성적 정보처리과정은 재조직하기와 통합하기를 통해서 작업기억에서 학습내용을 이해하는 것이 요구되고, 이것은 학습하기 위한 학습자의 동기에 기인한다. 교수의 이와 같은 세 가지 이론은 필자가 집필한 책, 『멀티미디어 학습(Multimedia Learning)』에서 기술한 멀티미디어 학습의 인지이론(cognitive theory of multimedia)과 John Sweller가 집필한 책, 『기술 영역에서의 교수설계(Instructional Design in Technical Areas)』에서 기술한 인지부 하이론(cognitive load theory)을 기반으로 하고 있다.

유의미 학습은 학습하는 동안 보다 나은 정보처리를 위한 관련 학습내용 선택하

인지용량의 세 가지 요구

외생적 정보처리과정

정의: 학습하는 동안 수업의 목표 달성을 지원하지 않는 인지 정보처리과정

원인: 부적절한 교수설계(또는 학습전략)에 기인

예: 학습자들이 한쪽의 글자와 상응하는 다른 쪽의 그림을 앞뒤로 왔다 갔다 이동하며 훑어
본다.

필수적 정보처리과정

정의: 선택하기와 초기 조직하기처럼 제시된 매체를 정신적으로 표상하도록 요구되는 학습에
서의 기본적 인지 정보처리과정

원인: 매체에 내재된 복잡성에 기인

예: 학습자들은 번개폭풍이 어떻게 발달하는지와 같은 복잡한 주제를 표상하기 위해 더 많은
정보처리과정이 요구된다.

생성적 정보처리과정

정의: 제시된 매체를 이해하기 위해 요구되는 학습에서 조직하기와 통합하기 등이 포함된 깊은
인지 정보처리과정

원인: 학습하기 위해 노력하는 학습자의 동기에 기인

예: 학습자들은 교수자가 대화체 유형을 활용할 때 그들의 선수 지식을 학습내용에 더욱더
연결시키려고 노력한다.

기, 정신구조에 부합하기 위해 선택된 학습내용 조직하기, 그리고 장기기억에 저장된 선수 지식과 학습내용 통합하기 등을 포함한 학습자의 적절한 인지 정보처리과정의 개입이 요구된다. 다음 표에 제시된 것과 같이, 외생적 정보처리과정은 유의미 학습을 위한 세 가지 인지 정보처리과정 어디에도 포함되지 않는다. 필수적 정보처리과정에는 제시된 학습내용을 재조직하기 위해 선택하기와 특별한 경우에 필수적인 조직하기 과정이 포함된다. 그리고 생성적 정보처리과정에는 새로운 정보를 보다 확장하기 위한 재조직하기 활동과 선수 지식과 새로운 지식을 통합하는 활동이 포함된다. 보는 것과 같이, 유의미 학습은 필수적이고 생성적인 정보처리과정이 요구되는 반면, 단순암기 학습은 오직 필수적 정보처리과정만이 요구된다.

세 가지 유형의 정보처리과정에 대한 요구는 학습결과와 어떤 관련이 있는가?

정보처리과정 요구	인지 정보처리	학습결과
외생적 정보처리과정	부적합한 정보처리	무 학습
필수적 정보처리과정	선택하기 (그리고 조직하기의 초기)	암기 학습
생성적 정보처리과정	조직하기와 통합하기	유의미 학습

5 교수활동은 어떻게 이루어지는가?: 세 가지의 교수 시나리오

세 가지 유형의 정보처리 유형이 학습자의 인지용량과 어떠한 연관이 있는지에 대해 다음의 세 가지 가능한 시나리오를 생각해 보자.

외생적 과부하란 무엇인가?

첫 번째 시나리오는 *외생적 과부하*이다. 학습자는 요구된 외생적 정보처리과정, 필수적 정보처리과정, 생성적 정보처리과정에 개입할 수 없다. 게다가 외생적 정보처리과정과 약간의 필수적 정보처리과정을 지원해 줄 수 있는 충분한 인지용량이 요구된다. 필수적 정보처리과정과 생성적 정보처리과정이 개입되지 않고서는 학습이 이루어질 수 없으며, 그 학습결과는 고통스러운 것이다. 이러한 외생적 인지과부하의 문제를 해결하기 위하여, 중요한 교수목적은 외생적 정보처리과정을 감소시키는 것이다.

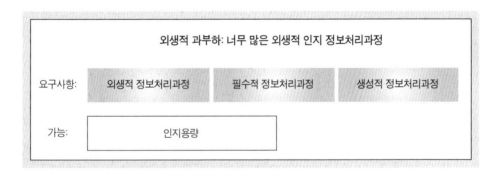

필수적 과부하란 무엇인가?

두 번째 시나리오에서 외생적 정보처리과정은 감소되거나 제거될 수 있지만, 필수적 정보처리과정의 요구는 학습자의 인지용량보다 더 커진다. 이것은 아마도 학습해야 할 내용이 복잡하거나 익숙한 내용이 아니기 때문일 것이다. 학습자는 요구된 필수적 정보처리과정과 생성적 정보처리과정에 개입할 수 없으며, 그래서 학습결과는 고통스러운 것이다. 이 시나리오는 *필수적 과부하*라고 부른다. 필수적 과부하의 문제를 해결하기 위하여, 중요한 교수목적은 필수적 정보처리과정을 관리하는 것이다. 즉, 인지용량의 영향을 줄이는 것이다.

학습자가 외생적 과부하를 경험하게 될때, 교수 설계자는 학습자들이 필수적이고 생성적 정보처리를 위해 활용될 수 있는 인지용량을 확보하기 위하여 외생적 정보처리과정을 감소시키기 위한 방법을 찾아야 한다. 학습자들이 필수적 과부하를 경험하

생성적 비활용성이란 무엇인가?

세 번째 시나리오는 *생성적 비활용성*이다. 학습자는 필수적 정보처리과정에 개입한 후에도 실제로 활용 가능한 인지용량을 가지고 있지만, 생성적 정보처리과정을 위하 완전하게 사용할 수는 없다. 이 시나리오에서 학습자는 학습내용을 보다 깊이 이해하기 위한 동기가 부족하다. 그러므로, 중요한 교수목적은 생성적 정보처리과정을 촉진시키는 것이다.

학습자가 외생적 과부하를 경험하게 될때, 교수 설계자는 학습자들이 필수저이고 생성적 정보처리를 위해 활용될 수 있는 인지용량을 확보하기 위하여 외생적 정보처리과정을 감소시키기 위한 방법을 찾아야 한다. 학습자들이 필수적 과부하를 경험하

게 될 때, 교수 설계자는 학습자들이 필수적이고 생성적 정보처리를 위해 활용될 수 있는 인지용량을 확보하기 위하여 필수적 정보처리과정을 관리하기 위한 방법을 찾아야 한다. 학습자들이 생성적 비활용성을 경험하게 될 때, 교수 설계자는 학습자들이 필수적이고 생성적 정보처리를 위해 활용 가능한 인지용량을 확보하기 위해 생성적 정보처리과정을 촉진시키기 위한 방법을 찾아야 한다.

교수설계를 위한 세 가지 상위 수준의 목적

1. 외생적 정보처리과정 감소시키기
2. 필수적 정보처리과정 관리하기
3. 생성적 정보처리과정 촉진시키기

교수학습 자료설계를 위한 열두 가지 교수설계 원리 $\boxed{6}$

학습하는 동안 적절한 인지 정보처리를 활성화시키기 위하여, 교수방법은 학습자의 인지부하에 민감해져야 한다. 이 장에 제시된 표들은 책 읽기, 학습에 참여하기, 온라인 학습자로 학습하기 등과 같은 능동적 학습상황을 위한 최적의 열두 가지 교수설계 원리를 제시하고 있다. 각 원리는 필자가 집필한 멀티미디어 학습을 위한 근거기반 설계, 연구기반 학습원리를 교육에 적용한 결과를 보고한 심리과학 학회 보고서 (Diane Halpern, Art Graesser, and Milt Hakel), 그리고 교수학습 향상을 위한 연구기반 실천적 안내서를 제공한 교육과학 협회 보고서(Harold Pashler and colleagues) 등과 같이 최근에 보고된 경험적 연구 결과에 기반한 것들이다.

(1) 외생적 정보처리과정을 감소시키기 위한 근거기반 교수설계 원리

교수학습 자료는 학습자가 수용할 수 있는 인지용량보다 많은 인지 정보처리과정을 가끔 요구한다. 그래서, 중요한 목적은 학습자가 교수목적과 관련이 없는 인지 정보처리과정 즉, 외생적 정보처리과정을 거치지 않도록 도와주는 것이다.

외생적 정보처리과정을 감소시키기 위한 근거기반 교수설계 원리		
원리	설명	예
일관성 (Coherence)[1,2]	학습자는 외생적 학습자료가 포함되었을 때보다 제외되었을 때 더 잘 학습한다.	흥미롭지만 관련 없는 글이나 그림을 삭제한다.
신호 (Signaling)[1]	교수학습 자료의 구조가 강조되었을때 더 잘 학습한다.	글로 된 교수학습 자료를 위해 개요와 장 제목을 사용한다.
공간 근접 (Contiguity)[1,2,3]	학습자는 화면이나 페이지상에서 인쇄된 텍스트와 상응하는 그림이 서로 떨어져 있을 때보다 가까이 있을 때 더 잘 학습한다.	표제보다 그림 안에 관련 글을 포함시킨다.

동시 근접 (Temporal Contiguity)[1, 2]	학습자는 구어로 된 글과 상응하는 그림을 연속적으로 제시하기보다는 동시적으로 제시하였을 때 더 잘 학습한다.	애니메이션 전 또는 후에 해설을 제시하는 것보다 동시에 제시한다.
기대 (Expectation) [2]	학습자는 평가유형을 사전에 보여주었을 때 더 잘 학습한다.	"이 장을 읽은 후에, 여러분들은 교수설계의 예를 제시하라는 문제를 제공받게 될 것이다."라고 말한다.

공간 근접 설계원리의 예

예로 어떻게 번개 폭풍이 발달하는지에 대한 자막이 제공된 애니메이션을 생각해 보자. 첫 번째 슬라이드는 화면 아래에 자막을 보여주고 있는데, 이를 *분리된 제시방법 (separated presentation)* 이라 한다.

분리된 제시방법

응결점 이하

응결점 이상

이러한 상승기류의 공기가 차가워지면서, 수증기가 물방울로 응결되어 구름을 형성한다.

분리된 제시방법은 학습자가 텍스트와 관련 그림을 앞뒤로 훑어보아야 하기 때문에 외생적 정보처리과정을 야기시킬 수 있다. 반대로, 두 번째 슬라이드에 제시된 것처럼 그래픽의 위치 다음에 텍스트를 위치시킴으로써 외생적 정보처리의 양을 감소시킬 수 있다. 이를 통합된 *제시방법(integrated presentation)*이라 부르며, 이를 다른 용어로 공간 근접 원리라 일컫는다. 왜냐하면, 스크린에서 그래픽과 이에 상응하는 문자를 가까이 위치시키기 때문이다. 이와 같은 방식으로 외생적 정보처리의 양을 감소시킬 수 있다.

(2) 필수적 정보처리과정을 관리하기 위한 근거기반 교수설계 원리

교수자가 모든 외생적 정보처리과정을 제거했을지라도, 교수학습 자료가 비교적 복잡하면 필수적 정보처리를 하는 데 있어 학습자의 인지 시스템에 과부하가 걸리게 될 수도 있다. 이 경우 교수에서는 인지 정보처리과정으로써 교수학습 자료를 정신적으로 표상하는 데 필요한 필수적 정보처리과정을 관리할 필요가 있다. 세 가지 근거기반 접근에는 작은 크기의 단위로 교수학습 자료를 분절하기(분리하기), 학습자와 관련 있는 선수 지식 제공하기(사전 훈련), 그리고 시각 채널에서 청각 채널로 시각 교수학습 자료를 떠넘기기(양식) 등이 있다. 이와 같은 방식을 사용하면, 학습자는 작업 기억의 과부하 없이 필수적 정보처리과정을 보다 잘 할 수 있게 된다.

필수적 정보처리과정을 관리하기 위하 근거기반 교수설계 원리		
원리	설명	예
분절[1,2]	학습자는 복잡한 교수학습 자료가 관리하기 용이한 부분으로 제시되었을 때 더 잘 학습한다.	음성 해설이 있는 애니메이션을 계속 버튼을 사용해서 작게 분리해서 쪼갠다.
사전 훈련[1]	학습자는 주요 개념의 이름이나 특징에 대해 사전 훈련을 받았을 때 복잡한 교수학습 자료로부터 더 잘 학습한다.	음성 해설이 있는 애니메이션을 제시하기 전에 각 부분의 이름 위치, 특징 등을 학습자에게 말한다.
양식[1,3]	단어가 문자로 제시되는 것보다 구어로 제시될 때 학습자는 멀티미디어 자료로부터 더 잘 학습한다.	애니메이션 화면상에 자막으로 제시하는 것보다 구어로 제시한다.

분절하기 설계원리의 예

우리가 약 2분 30초 동안 연속적으로 *제시*되는 번개 형성에 대한 구연 만화를 가지고 있다고 생각해 보자. 이 자료는 학습자들이 16개의 주요 단계와 원인 결과에 대한 관련성을 정확하게 찾아낼 수 없을 정도로 다소 빠르게 진행될 수도 있다. 간단히 말해, 학습자들은 번개가 어떻게 형성되는지에 대한 원인 모형을 형성하는 데 필요한 필수적 정보처리과정을 지원하기 위한 인지용량을 가지고 있지 않을 수도 있다.

학습자들의 필수적 정보처리과정 관리를 도와주기 위하여, 우리는 음성 해설이 있는 애니메이션을 한두 개의 문장을 포함하고 있는 약 10초 단위 16개로 분리할 수 있다. 각 단위로 분리한 후에, 계속 버튼을 화면의 아래 오른쪽 구석에 넣을 수 있다. 학습자가 계속 버튼을 클릭하면, 다음 화면이 제시되는 것이다. 이와 같이 *분절화된 제시방법(segmented presentation)*이 적용된 교수학습 자료에서 학습자는 학습의 속도를 조절할 수 있게 된다. 보는 것처럼, 분절화된 제시방법은 학습자들로 하여금 다음 단계로 이동하기 전에 연쇄적인 원인 단계를 완전하게 이해할 수 있도록 필수적 정보처리과정을 관리하기 위해 의도된 것이다.

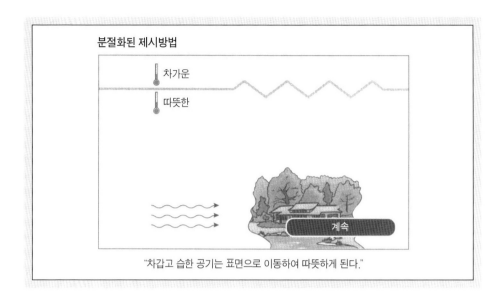

"차갑고 습한 공기는 표면으로 이동하여 따뜻하게 된다."

(3) 생성적 정보처리과정을 촉진하기 위한 근거기반 교수설계 원리

학습자들이 가용한 인지용량을 충분히 가지고 있을지라도 제시된 자료를 이해하기 위한 추가적인 노력에 대한 동기화가 가끔 되어 있지 않을 수도 있다. 이 경우, 교수는 기존의 지식과 새로운 자료를 통합하는 것과 같은 인지 정보처리로써 생성적 정보처리과정을 촉진할 필요가 있다.

생성적 정보처리과정을 촉진하기 위한 근거기반 교수설계 원리

원리	설명	예
멀티미디어 [1,2,3]	학습자는 문자만 제시된 것보다 문자와 그림이 함께 제시된 자료로부터 더 잘 학습한다.	문자와 관련된 그림을 추가한다.
개인화[1]	학습자는 교수자가 형식적인 양식보다 대화적 양식을 사용할 때 더 잘 학습한다.	3인칭 구조보다 "나" 그리고 "너"와 같은 1, 2인칭 구조를 사용한다.
구조화[2,3]	학습자는 비친숙한 자료가 친숙한 지식과 관련될 때 더 잘 학습한다.	구조화된 사례 또는 비유를 제시한다; 관련 운동활동을 장려하다
정착[2,3]	학습자는 자료가 친숙한 상황 맥락에서 제시될 때 더 잘 학습한다.	아동에게 상점놀이를 시킴으로써 산수를 배우게 한다.

각 원리들은 적용성과 관련해서 경계조건을 가지고 있다는 점을 인식할 필요가 있다. 예를 들어, 이러한 원리들의 대부분은 경험 있는 학습자들보다 경험 없는 학습자들에게 적용할 수 있다. Slava Kalyuga는 초보자에게 효과가 있는 어떤 교수설계 원리들이 전문가들에게는 비효과적이거나 오히려 해가 될 수 있음을 발견하여 이러한 현상에 대해 *지적 숙련 역전 효과(expertise reversal effect)*라는 용어를 사용하였다. 전체적으로 이 원리들은 인간이 어떻게 학습하는가에 대한 인지이론을 바탕으로 일관성 있게 사용될 수 있을 것이다.

멀티미디어 설계원리의 예

예를 들어, 우리는 학습자들로 하여금 "손잡이를 들어올리면, 피스톤 위로 이동하고, 주입 밸브는 열리고, 배출 밸브는 닫힌다. 그리고 공기는 실린더의 아래쪽으로 유입

된다."와 같은 해설을 듣기 위해 스피커 아이콘을 클릭함으로써 자전거 타이어 펌프의 작동원리를 설명할 수 있다.

단어가 다소 추상적이기 때문에 학습자는 다른 지식과 언어적 설명을 연결시키기 위한 생성적 정보처리과정에 동기가 부여되지 않을 수 있다. 생성적 정보처리과정을 촉진시키기 위해서는 음성해설이 포함된 애니메이션을 개발할 때 음성해설과 관련된 짧은 만화와 같은 그림을 추가할 수 있다. 필자의 저서인 『멀티미디어 학습』에서 필자는 학습자들이 텍스트만 사용하였을 때보다 텍스트와 그림을 함께 사용할 때 유의미 학습이 더 잘 이루어진다는 내용으로써 *멀티미디어 원리*를 지지할 수 있는 광범위한 연구결과들을 정리하였다.

7　효과적인 학습을 위한 여덟 가지 교수설계 원리

앞 장에서 우리는 책, 강의, 또는 온라인 자료와 같이 학습자에게 정보를 어떻게 제시하여야 하는가에 대한 설계 원리로서 열두 가지의 근거기반 원리들을 살펴보았다. 이번 장에서는 성공적인 학습으로 안내하기 위한 학습행동들을 유발시킬 수 있는 방법들을 생각해 보자. 다음 두 개의 표에는 학습을 위한 최고의 여덟 가지 교수설계 원리들이 제시되어 있다.

(1) 실천하기에 의한 학습을 위한 근거기반 교수설계 원리

네 가지 원리의 첫 번째 세트는 실천에 의한 학습과 관련된 것이다. 즉, 학습을 위해 준비된 과제를 수행함으로써 학습을 하는 것이다. 여러분이 그 과제를 수행하면서 실

실천하기를 위한 근거기반 교수설계 원리

원리	설명	예
간격두기[2,3]	학습자는 하나의 긴 수업에서 한꺼번에 연습을 하는 것보다 여러 개의 짧은 단위의 수업을 통해 분산학습을 할 때 더 잘 학습한다.	학습자가 하루에 50분동안 학습하는 것보다 5일동안 하루에 10분씩 문제 풀기를 연습한다.
피드백[2]	학습자는 그들의 수행에 즉각적인 피드백을 받을 때 더 잘 학습한다.	단어 문제를 풀게 한 후, 학습자가 어떻게 그것을 풀었는지에 대한 단계적 설명을 받는다.
관련 사례[1,3]	학습자는 문제를 해결하기 전에 관련 사례를 제시했을 때 더 잘 학습한다.	학습자는 $3 \times -5 = 4$를 풀기 위한 각 단계의 해결안을 본 후에 $2a - 2 = 6$의 문제를 푼다.
안내된 발견[1,2]	과제를 수행할 때, 학습자는 순수한 발견 학습보다 모델링, 코칭, 스캐폴딩과 같은 안내를 받을 때 더 잘 학습한다.	학습자가 단어 문제 풀기를 시도할 때, 교사가 힌트, 중요한 숫자에 대한 정보, 그리고 문제 해결에 대한 계획을 세울 수 있는 방법을 제공한다.

천할 때, 학습을 위한 가장 좋은 방법은 일정한 간격을 두고 학습하기(간격두기, spaceing), 여러분의 수행에 대한 정확하고 즉각적인 설명을 들으면서 학습하기(피드백, feedback), 여러분이 과제를 수행하기 전에 유사한 사례를 통해 정확한 수행에 대한 정보를 갖고 학습하기(관련 사례, worked examples), 그리고 여러분의 수행에 대한 적절한 안내를 받아가며 학습하는(안내된 발견, guided discovery) 것이다.

관련 사례 설계원리의 예

학생들이 대수 방정식을 어떻게 푸는가에 대한 교과서를 읽고, 교사가 학생들에게 약간의 연습문제를 제시한다고 가정해 보자. 직접적인 접근 아래의 왼쪽에 제시된 것처럼 몇 개의 문제들을 학생들에게 풀라고 하는 것일 것이다. 반대로 우리는 아래의 오른쪽과 같이 문제를 해결하기 위한 몇 개의 관련 사례를 제공할 수 있을 것이다.

실천에 의한 학습	사례에 의한 학습
a에 대한 각 방정식을 푸시오.	a를 위한 다음의 방정식을 해결하기 위해 실마리를 제공해 주는 각 관련 예를 활용하시오.

$a + b = c$

$$\boxed{\begin{aligned} a + b &= c \\ a &= c - b \end{aligned}}$$

$a + h = u$

$a + h = u$

$a - b = c$

$$\boxed{\begin{aligned} a - b &= c \\ a &= c + b \end{aligned}}$$

$a - v = f$

$a - v = f$

$a + b - g = c$

$$\boxed{\begin{aligned} a + b - g &= c \\ a + b &= c + g \\ a &= c + g - b \end{aligned}}$$

$a + e - v = s$

$a + e - v = s$

$a - b + g = c$

$$\boxed{\begin{aligned} a - b + g &= c \\ a + g &= c + b \\ a &= c + b - g \end{aligned}}$$

$a - r + y = k$

$a - r + y = k$

　　Graham Cooper와 John Sweller의 연구에 의하면, 수행의 전이 평가에 있어서 사례에 의한 학습이 실천에 의한 학습보다 더 효과적이라고 보고하고 있으며, 이는 관련 사례 원리를 뒷받침하는 근거가 된다. 비록 학습자가 실천에 의한 학습에서 행동적으로 활동할지라도, 관련 사례의 제시는 학습자의 인지 정보처리과정을 도와줄 수 있다는 것이다.

(2) 생성하기에 의한 학습을 위한 근거기반 교수설계 원리

네 가지 원리의 두 번째 세트는 학습자들이 학습자료로부터 학습을 하는 동안 학습활동을 유발시키는 전략으로서 생성하기에 의한 학습과 관련된 것이다. 여러분이 수동적인 학습을 할 때, 여러분은 학습자료를 회상하려는 노력과 같은 방식으로 자신을 평가할 수도 있고(평가하기), 자신에게 스스로 설명할 수도 있고(자신에게 설명하기), 학습자료와 관련된 질문에 답을 제시할 수도 있으며(질문하기), 학습자료의 요약, 개요와 같이 정교화할 수도 있다(정교화하기).

생성하기를 위한 근거기반 교수설계 원리

원리	설명	예
평가[2,3]	학습자는 복습하는 것보다 평가를 시행함으로써 더 잘 학습한다.	학습자가 소화기관이 어떻게 작동하는가에 대한 교수학습 자료를 읽은 후, 복습을 하는 것보다 모든 단계의 과정을 작성하게 한다.
자신에게 설명[1,2,3]	학습자는 학습하는 동안 스스로에게 학습요소를 설명할 때 더 잘 학습한다.	학습자가 심장의 작동원리에 대한 교수학습 자료를 읽은 후, 이해가 안 되는 개념을 진술하고 자신의 말로 시스템을 설명하게 한다.
질문[2,3]	학습자는 학습하는 동안 관련 내용에 대한 심도 있는 질문이나 이에 대한 답을 요구할 때 더 잘 학습한다.	학습자가 지리에 대한 구연만화를 학습한 후, "Y의 원인은 무엇인가?", "X는 Y와 어떻게 비교할 수 있는가?", 또는 "만약이란 무엇인가?" 등과 같이 깊이 있는 질문을 만들거나 답을 하게 한다.
정교화[2]	학습자는 학습자료에 대한 개요, 요약 또는 정교화를 할 때 더 잘 학습한다.	학습자는 수업을 듣는 동안 그 내용을 요약한다.

보는 바와 같이, 이러한 원리들은 심도 있는 인지 정보처리과정을 요구하는 경향이 있는데, 이를 *생성적 정보처리과정*이라 한다.

자신에게 설명하기 설계원리의 예

인간의 시각 시스템에 대한 내용을 다루는 컴퓨터 프로그램을 보고 있다고 생각해 보자. 이 학습자료에서 하나의 윈도우 창에는 텍스트가 있고, 다른 윈도우 창에는 그림이 있다. 그러나 여러분은 한 번에 하나의 윈도우만 볼 수 있다. 대부분의 학습자들은 아마도 텍스트를 먼저 읽고 그림을 전체적으로 살펴볼 것이다. 이러한 학습 접근은 생성적 정보처리과정으로 여러분을 충분히 안내할 수 없을 것이며, 그 결과 제시된 자료로부터 내용을 기억하려는 노력만 할 것이다.

　반대로, 여러분에게 학습자료를 스스로에게 설명하게 하려는 시도로써 학습자료를 보면서 생각한 것을 말하게 하는 학습맥락을 고려해 보자. 예를 들어, "각막의 형태는 눈의 초점을 맞추게 하는 힘의 70%를 감당한다."라는 문장을 읽는 학습자를 살펴보면, 학습자가 다음으로 취할 말과 행동이 무엇인지 아래에 제시되어 있다.

자신에게 설명하는 내용

"그렇다면, 나머지 30%는 무엇인지 궁금합니다."

눈은 그림의 여러 부분을 뚫어지게 본다.

"아, 이제 이해하겠습니다. 저는 렌즈와 각막이 같은 것으로 생각했었습니다. 그런데 지금 보니 렌즈가 나머지 일을 실제적으로 한다는 사실을 알게 되었습니다. 저는 각막과 렌즈가 동일한 것으로 생각했었습니다. 저는 실제적으로 모르던 어떤 것을 학습했습니다."

이 내용은 Marguerite Roy와 Michelene Chi가 『The Cambridge Handbook of Multimedia Learning』(pp. 277-278)에서 보고한 연구결과에서 인용한 것이다. 자신에게 설명하기 원리에 대한 일관성 측면에서, 학습자가 생성한 설명은 학습자 스스로는 모니터할 수 있도록 도와주고 그들의 지식을 수정할 수 있도록 안내해 줄 수 있다는 것이다. 간단하게 말해, 자신에게 설명하기는 학습하는 동안 학습자로 하여금 깊이 있는 학습으로 안내할 수 있는 생성하기에 의한 학습의 한 형태이다.

학습하는 과정에 있어 인지 정보처리의 안내 방법

유의미 학습은 학습자가 학습하는 동안 세 가지의 중요한 인지 정보처리과정을 수행할 때 일어난다.

1. *선택*: 교수학습 자료에서 관련 정보에 주의집중하기
2. *조직화*: 일관된 정신 표상에 선택된 정보를 인지적으로 정리하기
3. *통합*: 장기기억으로부터 인출된 관련 선수 지식과 정신으로 표상된 정보를 인지적으로 연결하기

학습하는 동안 이러한 각각의 인지 정보처리과정을 유도하도록 의도된 교수기법을 생각해 보자.

(1) 선택하기를 위한 교수기법

첫째, 다음 표는 선택하기 인지과정을 유도하도록 의도된 교수기법의 예를 제시한 것이다. 각각의 기법은 강조된 학습자료의 파지(retention)[1]를 증가시키는 효과가 있는 것으로 보인다.

선택하기의 인지과정을 유도하도록 의도된 교수기법		
전략	설명	예
목표	수업에서 무엇을 배워야 할지에 대한 내용을 진술한다.	학습자는 목표를 성취하기 위한 내용에 집중한다.
사전 문제	학습자가 각 수업에서 답해야 할 질문을 사전에 제시한다.	학습자는 질문에 답해야 할 수업내용에 집중한다.

---

1) [역자주] 파지(retention)란 학습한 내용 또는 지식을 오랫동안 기억(recall) 또는 재인(recognize)하는 인지능력을 말한다.

사후 질문	학습자가 각 수업에서 답해야 할 질문을 수업 후에 제시한다.	학습자는 기대되는 질문을 스스로 만들고, 수업내용에서 이러한 정보에 집중한다.
강조	학습교재에서 다른 글자 크기, 글자체, 색깔, 굵기, 이탤릭, 밑줄, 깜빡이기 등을 활용하여 특정 단어를 강조한다.	학습자는 다른 것들과 구별되는 특정 단어에 집중한다.

예로 전동기의 작동원리에 대한 교과서나 멀티미디어 자료를 생각해 보자. 이 자료는 5개의 장으로 구성되어 있고, 각 장은 배터리, 전선, 정류기, 전선회로, 자석과 같이 전동기의 주요 구성요소에 대한 기능을 설명하고 있다. 다음의 표는 전동기에 대한 학습을 하는 동안 학습자의 주의집중을 안내하기 위한 각각의 교수전략의 예를 제시하고 있다.

선택하기를 위한 교수기법의 예

전략	전동기의 작동원리에 대한 수업의 예
목표	수업 전에, "이번 수업에서 여러분은 전동기의 5가지 주요 부분이 어디에 위치하고 있는지에 대해서 학습하게 될 것입니다."
사전 문제	수업 전에, "전동기를 켜보세요. 하지만 작동하지 않을 거에요. 무엇이 문제일까요?"
사후 문제	첫 번째 장 학습 후에, "배터리의 기능은 무엇입니까?" 두 번째 장 학습 후에, "전선의 기능은 무엇입니까?" 세 번째 장 학습 후에, "정류기의 기능은 무엇입니까?" 네 번째 장 학습 후에, "전선회로의 기능은 무엇입니까?" 다섯 번째 장 학습 후에, "자석의 기능은 무엇입니까?"
강조	교수학습 자료 안에, "전동기의 스위치는 켤 때, 배터리의 전자는 −단자를 통해 빠져나가고, +단자를 통해 들어온다."

비록 학습하는 동안 학습자의 주의집중을 안내하는 것이 중요할지라도, 단지 이 것은 유의미 학습을 촉진시키기 위한 초기 단계일 뿐이다. 만약 우리가 여기서 멈춘 다면, 학습자는 쪼개지고 고립된 기억의 조각들을 모아야 할 것이다. 다른 두 개의 인 지 정보처리과정(조직하기와 통합하기)이 학습자의 유의미 학습 결과를 가져올 수 있 도록 도와주는 핵심 기법이 된다. 더욱이 조직하기와 선택하기를 촉진시키는 학습자 의 주의집중을 안내하기에 충분한 교수기법이 된다.

(2) 조직화하기를 위한 교수기법

둘째, 아래의 표는 조직화하기의 인지 정보처리를 유도하도록 의도된 교수전략의 예를 제시한 것이다. 각각의 교수전략은 학습자료를 강조하여 파지를 증가시키고 수행의 전 이능력을 증가시키는 데 효과적인 것으로 확인된 신호하기(signaling)의 구성요소이다.

조직화하기의 인지 정보처리를 유도하기 위해 의도된 교수전략

전략	설명	예
개요	각 장의 목록이나 각 장의 시작 부분에 제시되어 있는 머리말. 목록은 병렬구조로 간결하게 기술되어야 한다.	개요는 학습자가 어디에 있는지, 분절화된 학습내용에서 어디에 위치하고 있는지에 대한 전체 그림을 제공한다.
제목	개요의 주요한 단어로써 각 장의 첫 부분에 있는 강조된 단어	제목은 학습자로 하여금 일관된 구조안에서 학습자료를 조직하는 데 도움을 준다.
지시어	"첫째, 둘째, 셋째…", "대조적으로", 또는 "결과적으로"와 같은 단어들	지시어는 사건의 지역구조 또는 교수학습 자료의 요소를 규명하는 데 도움을 준다.
그래픽 조직자	매트릭스, 위계적, 또는 네트워크와 같은 그래픽 조직자는 공간배열을 활용하여 주요 개념들의 관계를 보여준다.	그래픽 조직자는 학습자로 하여금 주요 요소와 이들의 관련성을 정확히 찾아낼 수 있도록 도와준다.

여러분이 보는 것처럼, 각각의 전략은 수업에서 학습자료로부터 학습자의 조직화된 구조를 형성할 수 있도록 도와주기 위해 의도된 것이다. 예를 들어, 전동기 작동원리에 대한 수업을 생각해 보자. 아래의 표는 전동기 교수학습 자료를 활용하여 학습하는 동안 학습자의 조직화하기 정보처리과정을 안내할 수 있는 각각의 모범 기법을 제시하고 있다.

조직화하기를 위한 교수기법의 예

전략	전동기 작동방법에 대한 예
개요	수업 시작 전에 다음과 같은 수업의 개요를 설명한다. "이번 수업에 있어 여러분들은 전동기를 구성하는 5가지 요소(배터리, 전선, 정류기, 전선회로, 자석)가 어떻게 작동하는지를 배우게 될 것입니다."
제목	첫 번째 수업 전: **배터리의 작동원리** 두 번째 수업 전: **전선의 작동원리** 세 번째 수업 전: **정류기의 작동원리** 네 번째 수업 전: **전선회로의 작동원리** 다섯 번째 수업 전: **자석의 작동원리**
지시어	수업에서: "첫째, 모터가 시작 위치에 있을 때… 둘째, 모터가 1/4 회전했을 때… 셋째, 모터가 1/2 회전했을 때… 넷째, 모터가 3/4 회전했을 때… 다섯째, 모터가 완전히 회전했을 때…"

그래픽 조직자	배터리의 작동 단계
단계:	**무엇이 일어나는가**
시작 위치	전자들은 −단자를 통해 흘러나가고, +단자를 통해 흘러들어온다.
1/4 회전	전자들의 흐름이 멈춘다.
2/4 회전	전자들은 −단자를 통해 흘러나가고, +단자를 통해 흘러들어온다.
3/4 회전	전자들의 흐름이 멈춘다.
완전 회전	시작 위치와 같다.

(3) 통합하기를 위한 교수기법

셋째, 아래의 표에는 새로운 지식과 학습자들이 이미 알고 있는 지식의 연결을 도와주기 위한 통합하기의 정보처리과정을 안내할 수 있도록 의도된 두 개의 모범 기법이 제시되어 있다. 각각의 기법은 학습자들이 이미 알고 있는 친숙한 시스템(구체적)에 비추어 새로운 시스템(추상적)의 이해를 돕기 위한 메타포를 사용하고 있다. 두 개의 전략은 학습자의 파지와 수행전이 능력을 증가시킴으로써 학습자의 이해를 향상시키는 데 효과적이라는 것이 증명되었다.

통합하기의 과정을 안내하기 위해 개발된 교수기법		
전략	내용	설명
구체적인 선행조직자	유의미 학습을 위해 수업 전에 친숙한 학습자료를 제시한다.	학습자는 관련 선수 지식을 활성화시키고 새로운 지식을 동화시키기 위해 친숙한 학습자료를 사용한다.
구체적인 모형	유의미 학습을 위해 수업 중에 친숙한 학습자료를 제시한다.	학습자는 관련 선수 지식을 활성화시키고 새로운 지식을 동화시키기 위해 친숙한 학습자료를 사용한다.

예를 들어, 전기회로 작동원리의 주제를 다루는 수업은 다소 추상적이고 친숙하지 않을 수 있다. 학습자들의 이해를 돕기 위해, 구체적인 선행조직자를 사용하면, 다음 그림과 같이 전기회로는 파이프에 흐르는 물과 같은 원리라는 것을 명확하게 보여줄 수 있다.

또 다른 예로, 학생들이 두 자리 수 뺄셈문제를 계산하는 방법에 대해 학습한다고 생각해 보자. 뺄셈의 절차는 추상적일 수 있고 아동에게는 친숙하지 않은 내용일 수 있다. 따라서 구체적이고 친숙한 맥락을 제공하기 위하여 가지 묶음을 사용해서 뺄셈의 절차를 보여주는 것이다.

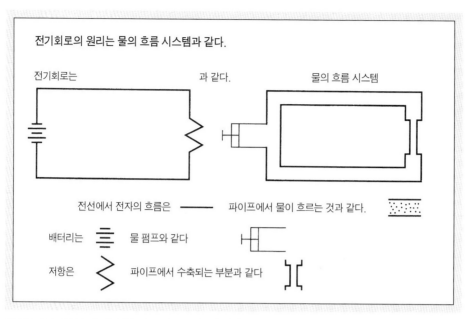

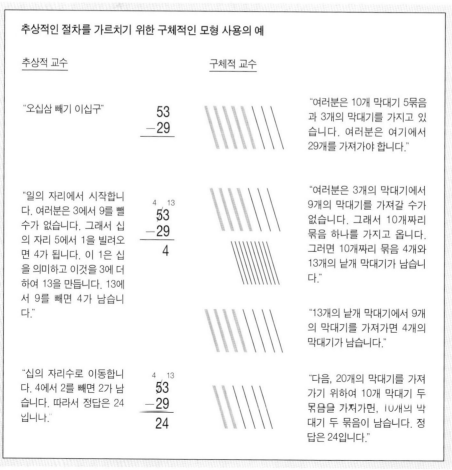

이 장에서 여러분은 선택하기, 조직화하기, 통합하기의 인지 정보처리과정을 촉진시키기 위한 몇 가지 교수기법의 예를 살펴보았다. 이 예들은 각각의 정보처리과정을 정확하게 설명할 수 있기 때문에 선택된 것들이다. 이전 두 개의 장에서 여러분은 효과적인 여러 교수방법을 확인했으며, 이러한 방법들은 학습자가 학습하는 동안 학습자의 인지 정보처리를 촉진시키는 근본적인 원리가 된다.

유명하지만 논란의 여지가 있는 세 가지 교수 원리 9

여러분은 아래 목록에 있는 세 가지의 유명한 원리(협력, 발견, 학습양식)들을 기대했을 것이다. 이 원리들은 약간의 특별한 처방이 필요하기 때문에 마지막에 제시하였다.

협력학습에 대한 의문

협력학습은 집단에게 도전적인 문제, 과제, 또는 프로젝트가 주어졌을 때 발생한다. 집단은 집단의 결과를 도출하기 위하여 토론을 실시한다. 협력학습의 예로 인지적으로 효과가 있는 비디오 게임을 위한 수업자료 개발을 위해 4명이 한 조로 함께 과제를 수행하는 예를 생각해 보자. 최근 『Handbook of Psychology』에서 Robert Slavin, Eric Hurley, 그리고 Anne Chamberlain은 교실수업에 대한 연구를 지지하지는 않지만 협력의 형태를 정확하게 보고하였다. 알다시피, 집단으로 학습하는 것이 항상 이롭지는 않다는 것이다.

어떤 일을 협력해야 하는가?

효과	협력 맥락
긍정	*협력학습:* 집단은 각 집단 구성원의 시험점수의 총합(또는 향상 점수)과 같이 구성원 개개인의 수행평가 점수를 기반으로 하여 보상을 받는다.
긍정	*상호 교수(reciprocal teaching):* 집단 구성원은 교사로부터 안내받은 특별한 인지기술을 교대로 가르치고, 각 구성원들은 교사가 된 듯한 느낌을 갖는 기회를 갖는다.
의문점	*집단 프로젝트:* 집단은 수업에서 모든 집단 구성원에게 주어진 단일 점수와 같은 단일 집단의 결과물에 기반하여 보상을 받거나 받지 못한다.
의문점	*집단 발견:* 집단의 학생들은 교사의 안내 없이 수학 문제를 풀기 위하여 함께 과제를 수행한다.

발견학습에 대한 의문

*발견학습*은 학습자가 도전적인 문제, 과제, 또는 프로젝트를 수행하여야 할 때 발생한다. 학습자는 결과를 도출하는 과정 속에서 가르침을 찾아낸다. 예를 들어, 과학 전람회에 공모하는 것은 발견학습의 한 예가 된다. "순수한 발견학습에 반대하는 삼진아웃 규칙이 있는가?"라는 제목의 최근 연구에서 본 필자는 "발견학습의 효과가 회의적이라는 생각이 들 수 있게 하는 충분한 연구 증거가 있다"는 결론을 내렸다. 실제적으로 경험이 없는 학습자들은 새로운 과제를 연습하는 것과 같은 안내를 포함해서 코칭(coaching), 스캐폴딩(scaffolding), 모델링(modeling), 질문하기(questioning), 그리고 피드백(feedback) 등이 필요하다는 사실을 여러 연구에서 반복적으로 보여준다. 이러한 각각의 안내 전략은 64−25 = _____ 와 같은 뺄셈문제 해결에 대한 예와 함께 아래 표에 제시되어 있다.

안내된 학습에서 안내의 몇 가지 유형

유형	설명	예
코칭	과제 수행 방법에 대한 관련 정보, 조언, 힌트 제공하기	"64를 위에다 쓰고 그 밑에 25를 다시 쓰세요. 오른쪽 자리는 일의 자리이고 왼쪽 자리는 십의 자리라는 것을 기억하세요."
스캐폴딩	쉬운 과제 또는 문제를 여러 개로 나누어 제공하기	"좋습니다. 첫 번째 단계는 여러분이 했고요, 다음 단계는 무엇이지요?"
모델링	설명에 따라 문제를 어떻게 푸는지 보여주기	"여기, 문제를 어떻게 푸는지를 보여줄 게요…"
질문하기	학습자에게 무엇을 해야 하는지 설명하게 하거나 판단하도록 질문하기	"왜 4 다음에 1을 썼나요?"
피드백	수행 교정에 초점을 맞춰 학습자 수행에 대한 비평 제공하기	"일의 자리에서 시작합시다."

학습양식에 대한 의문

어떤 사람들은 언어적 학습자라서 언어로 가르쳐져야 하고, 어떤 사람들은 시각적 학습자라서 그림으로 가르쳐져야 하며, 어떤 사람들은 음성적 학습자라서 소리로 가르쳐져야 한다고 한다. 이러한 진술은 사람들은 그들의 학습양식에 상응하는 학습양식에 맞게 교수방법을 제공할 필요가 있다는 학습양식의 원리를 반영한 것이다. 학습양식은 학습자가 정보를 처리하는 방법의 성향으로 간주된다. 비록 학습양식의 원리가 유명해지고 교사교육의 전통적인 한 영역을 차지하고 있을지라도 학교에서 이러한 원리의 폭넓은 실행을 지지할 만한 뚜렷한 근거가 부족한다.

예를 들어, 우리가 학습자들이 시각자인지 언어자인지를 평가하기 위한 질문지를 주었다고 생각해 보자. 아래의 표는 학습자의 언어자-시각자 학습양식을 측정하기 위하여 Laura Massa와 필자가 개발한 질문 문항 중의 하나이다.

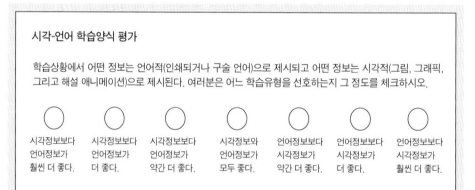

만약 학습양식 원리가 맞다면, 아래의 그림 왼쪽에 있는 그래프가 나타내는 바와 같이 시각자는 시각자료를 가지고 학습한 후의 평가가 보다 더 좋아야 할 것이고, 반대로 언어자는 언어자료를 가지고 학습한 후의 평가가 보다 더 좋아야 할 것으로 기대할 수 있다. 이러한 생각과 대조적으로, Laura Massa와 필자가 이와 같은 연구를 수행한 결과, 아래 그림의 오른쪽 그래프와 같이 언어자와 시각자 모두 시각자료나 언어자료를 가지고 학습한 결과가 학습양식에 상관없이 비슷하게 나타난다는 연구결과를 찾아냈다.

시각자-언어자 양식에 관한 수많은 다른 연구에서도 학습양식 원리를 지지해 줄 만한 증거가 없었다. 이에 대한 명확한 증거가 제시되기 전까지는 인지양식에 기반한 개별화 교수의 추천은 회의적일 수밖에 없을 것이다.

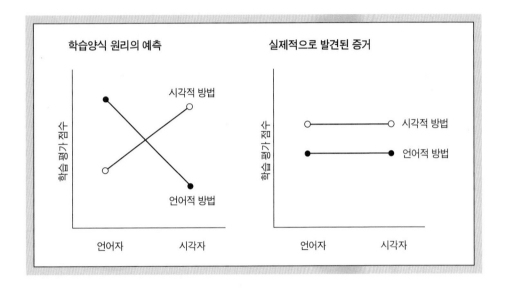

능동적 교수-학습 방법에 관한 고찰 $\quad$ IO

능동적 교수방법이 어떻게 잘못되어 갈 수 있는가

발견학습과 협동학습과 같은 능동적 교수방법(active teaching method)이 보편적으로 활용되고 있을지라도, 이것들이 이롭지 않은 학습이 될 수 있는 방법으로 활용될 수 있을지도 모른다. 아래의 표와 같이, 두 개의 학습활동은 바람직한 결과로써 생성적 정보처리를 촉진하는 경향이 강하다. 예를 들어, 이 학습활동은 학습자들로 하여금 학습자료의 명확한 이해를 위해 관련된 기존의 지식 탐색을 촉진시킨다. 하지만, 초보자들에게 비구조화된 탐색이나 토론학습은 다소 비효율적이며, 오히려 교수목적과 관련 없는 정보처리과정인 외생적 정보처리과정을 증가시킬 수 있다는 것이다. 동시에, 학습자들은 학습해야 할 내용 이해에 실패함으로써 필수 학습내용의 정보표상 형성을 도와주는 필수적 정보처리과정에 보다 덜 개입되게 된다는 것이다. 생성적 정보처리과정을 증가시키기 위한 발견학습과 협력학습은 외생적 정보처리의 감소와 필수적 정보처리과정을 증가시킬 때 가능하게 되는데, 이러한 이유로 이 두 가지의 교수방법은 의문으로 남게 되는 것이다.

발견학습과 협력학습이 어떻게 잘못되어 갈 수 있는가

활동	인지 정보처리과정		
	외생	필수	생성
발견학습	증가	감소	증가
협력학습	증가	감소	증가

발견학습과 협력학습의 목적은 가치 있는 학습, 즉 유의미 학습을 하게 하는 것이다. 하지만, 교수자의 순수한 발견학습과 비효과적인 형태의 협력학습으로 인해 이러한 목적달성이 충분하게 이루어지고 있지 않음을 여러 연구결과들이 보여주고 있다.

이를 위해 교수 설계자들에게 주어진 과제는 학습자들에게 필수적 정보처리과정이 적절하게 이루어지고 외생적 정보처리과정이 발생하지 않음으로써 생성적 정보처리 과정이 충분히 이루어질 수 있도록 이 두 가지의 교수학습 방법을 사용하는 것이다.

능동적 학습의 두 가지 유형

발견학습 또는 협력학습을 사용하는 근거는 이 학습방법들이 학습자가 활동적으로 무엇인가를 하고 토론하게 하는 활동학습을 촉진하기 때문이다. 하지만, 모든 활동이 학습을 향상시키지는 않는다는 것이 사실이다. 아래 그림을 보면, 손을 움직이며 토론하는 행동적 활동(behavioral activity)과 선택하기, 조직화하기, 통합하기와 같은 인지 정보처리활동을 포함하는 인지적 활동 등 두 가지 종류의 활동 학습을 제시하고 있다. 여러분이 보시다시피, 학습이 이루어지게 하는 활동은 인지적 활동 수준이며, 반대로 높은 행동적 활동이 낮은 행동적 활동보다 낫기는 하지만 학습을 반드시 향상 시키는 것이 아니라는 점이다. 2사분면을 보면, 높은 인지적 활동은 비록 낮은 행동적 활동이 이루어지더라도 유의미 학습을 가능하게 한다. 반대로, 4사분면을 보면, 높은 행동적 활동 수준이더라도 인지적 활동의 수준이 낮다면, 유의미 학습이 이루어지기 어렵다는 것이다(예, 과학실에서 실험 절차를 단순히 따라하는 것).

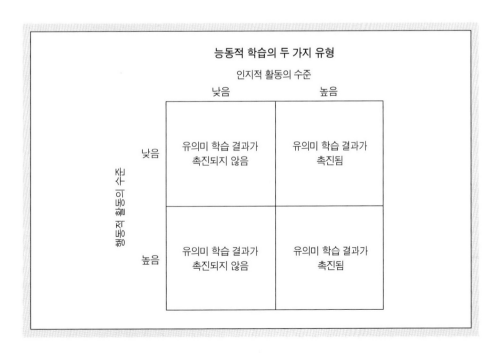

참고문헌 및 추천할 만한 읽을거리

92~94쪽

Shavelson, R. J., & Towne, L. (Eds.). (2002). *Scientific research in education*.
    Washington, DC: National Academy Press.
    교육에서 과학적 연구를 수행하기 위한 여섯 가지 원리를 요약한 문헌

95~100쪽

Anderson, L. W., Krathwohl, D. R., Airasian, P. W., Cruikshank, K. A., Mayer, R.
    E., Pintrich, P.R., Raths, J., & Wittrock, M. C. (2001). *A taxonomy for learning,
    teaching, and assessing: A revision of Bloom's taxonomy of educational
    objectives*. New York: Longman.
    학습, 교수, 그리고 평가 영역에 있어 전문가들에 의해 작성된 학습과학에 기반한 교수목표 창출을 위한
    이론적 틀

Pellegrino, J. W., Chudowsky, N., & Glaser, R. (Eds.). (2001). *Knowing what
    students know: The science and design of educational assessment*. Washington,
    DC: National Academy Press.
    학습 평가 연구자들에 의해 작성되고 National Research Council에서 승인한 학습 결과의 평가방법에
    대한 분석

101~106쪽

Mayer, R. E. (2009). *Multimedia learning* (2nd ed.). New York: Cambridge
    University Press.
    학습과학에 기반한 효과적인 교수방법 연구에 대한 재고

Sweller, J. (1999). *Instructional design in technical areas*. Camberwell, Australia:
    ACER Press.
    인지부하이론에 기반한 연구에 대한 재고

107~117쪽

Clark, R. C., & Mayer, R. E. (2008). *e-Learning and the science of instruction*. San
    Francisco: Pfeiffer.
    컴퓨터 기반 학습환경에서 효과적인 교수방법에 대한 재고

Cooper, G., & J. (1987). The effects of schema acquisition and rule automation on
    mathematical problem-solving transfer. *Journal of Educational Psychology, 79*,
    347-362.
    효과적으로 수행된 교수효과에 대한 연구

Halpern, D. F., Graesser, A., & Hakel, M. (2007). *25 learning principles to guide
    pedagogy and the design of learning environments*. Washington, DC: American

Psychological Society Task-force on Life Long Learning at Work and at Home. [http://psyc.memphis.edu/learning]
교수설계를 위한 25개의 연구기반 원리에 대한 재고

Kalyuga, S. (2005). Prior knowledge principle in multimedia learning. In R. E. Mayer (Ed.), *The Cambridge handbook of multimedia learning* (pp. 325-338). New York: Cambridge University Press.
지적 숙련 역전 효과(the expertise reversal effect)의 연구에 대한 요약

Mayer, R. E. (Ed.). (2005). *The Cambridge handbook of multimedia learning*, New York: Cambridge University Press.
멀티미디어 교수설계를 위한 주요 원리가 35개의 장으로 구성되어 있음

Mayer, R. E. (2009). *Multimedia learning* (2nd ed.). New York: Cambridge University Press.
학습과학에 기반한 효과적인 멀티미디어 교수설계 원리에 대한 재고

O' Neil, H. F. (Ed.). (2005). *What works in distance learning: Guidelines.* Greenwich, CT: Information Age Publishing.
온라인 학습 자료의 교수설계를 위한 설계원리들의 요약

Pashler, H., Bain, P., Bottage, B., Graesser, A., Koedinger, K., McDaniel, M., & Metcalfe, J. (2007). *Organizing instruction and study to improve student learning* (NCER 2007-2004). Washington, DC: National Center for Educational Research, Institute of Educational Sciences, U.S. Department of Education. [http://ncer.ed.gov]
교수설계 원리들에 대한 재고

Roy, M., & Chi, M. T. H. (2005). The self-explanation principle in multimedia learning. In R. E. Mayer (Ed.), *The Cambridge handbook of multimedia learning* (pp.271-286). New York: Cambridge University press.
교수방법으로서의 자기설명식(self-explanation)의 효과성 연구에 대한 재고

118~124쪽

Mayer, R. E. (2008). *Learning and instruction* (2nd ed.). Upper Saddle River, NJ: Pearson/Merrill Prentice Hall.
유의미 학습을 촉진시키기 위한 교수방법에 대한 최신 연구결과의 요약

125~128쪽

Mayer, R. E. (2004). Should there be a three-strikes rule against pure discovery learning? *American Psychologist, 59,* 14-19.
발견학습에 대한 재고

Mayer, R. E., & Massa, L. J. (2003). Three facets of visual and verbal learners: Cognitive ability, cognitive style, and learning preference. *Journal of*

Educational Psychology, 95, 833-846.
언어-시각 학습 유형 측정을 위한 자료

Slavin, R. E., Hurley, E. A., & Chamberlain, A. (2003). Cooperative learning and achievement: Theory and research. In W. M. Reynolds & G. E Miller (Eds.), *Handbook of psychology* (vol. 7; pp. 177-198). New York: Wiley.
집단학습 연구에 대한 재고

제3부

평가는 어떻게 이루어지는가?

학습과학을 적용시킴에 있어 주된 과제는 James Pellegrino와 동료들이 언급한 바와 같이 "학생이 알고 있는 것을 아는 것"이라 불렀던 학습 결과의 평가를 포함시키는 것이다. 평가는 때로 교육 프로그램의 마지막에 덧붙여지는 분리된 행동처럼 보여졌다. 반대로, 나는 이 책에서 평가를 학습과 교수와 아주 밀접하게 연관된 것으로 간주하고 접근하려 한다. 평가는 배운 것에 대해 명확하게 기술할 수 있도록 하기 때문에 학습과 연계되어 있으며, 또한 교수를 안내하기 때문에 교수와도 연계되어 있다.

우리가 학습에 대해 과학적 접근을 하려면, 우리는 우리의 학습 이론을 평가하기 위한 경험적인 근거가 필요하다. 우리가 교수에 대해 과학적인 접근을 하려면, 우리는 가장 효과적인 교수 방법을 결정하기 위한 경험적인 근거가 필요하다. 평가과학은 우리에게 이러한 필요한 근거들을 만들어 나갈 수 있도록 할 것이다.

평가과학은 학습자가 아는 것이 무엇인지 알아내는 것과 관련되어 있다. 이 장에서 학습 결과의 평가와 관련된 개념과 이슈들에 대해 소개할 것이다.

평가과학에서 다루는 주요 내용

1. 평가란 무엇인가?
2. 평가과학이란 무엇인가?
3. 평가의 세 가지 기능
4. 유용한 평가 도구의 구성방법
5. 교수 효과에 대한 연구란 무엇인가?
   (1) 무엇이 작동하는가?: 무작위 통제 실험 사용하기
   (2) 언제 작동하는가?: 요인 실험 사용하기
   (3) 어떻게 작동하는가?: 관찰 분석 사용하기
6. 실험에 대한 고찰
   (1) 교수 효과를 측정하기 위한 효과 크기 사용하기
   (2) 실험 집단과 통제 집단 사이에 처치의 차이가 없는 여섯 가지 이유
7. 학습 결과의 평가방법
   (1) 학습 결과를 측정하는 두 가지 방법
   (2) 학습 결과의 세 종류
8. 유의미 학습과 암기 학습에 대한 고찰: Wertheimer의 평행사변형 수업
9. 학습 결과의 평가에 대한 고찰: How Much? 또는 What Kind?
10. 평가의 영역 확장하기
11. 평가의 영역 확장하기에 대한 고찰: 적성처치 상호작용(ATI)
12. 선수 지식을 포함하는 적성처치 상호작용
13. 평가가 제대로 이루어지지 않는 이유

I   평가란 무엇인가?

평가는 학습자가 학습한 자료에서 학습한 것, 학습과 관련된 학습자의 특성이 무엇인지를 밝히는 것과 연관되어 있다. 우리가 평가를 할 때, 우리는 누군가의 학습 결과(즉, 지식), 학습 과정(즉, 지식을 구성하기 위한 인지적 과정), 또는 학습 특성(즉, 지식을 구성하는 것과 관련된 능력)을 기술하려고 한다. 이러한 평가의 세 가지 대상(target)이 아래의 표에 정리되어 있다. 가장 일반적인 평가의 대상은 학습자의 지식, 즉 첫 번째 열에 언급한 것처럼, 학습자가 아는 것이다. 요컨대, 학습 결과의 평가가 이 장의 주요 내용이다.

평가의 세 가지 대상

무엇이 평가되어야 하는가?	설명	예
학습 결과	교수 이후에 무엇을 알고 있는가?	평가의 정의를 작성하시오.
학습 과정	교수하는 동안 어떻게 학습하는가?	학습과정 중 자신의 정신적 노력에 대해 1(매우 낮음)부터 7(매우 높음)로 점수를 매기시오.
학습 특성	학습 이전에 좋아하는 것은 무엇인가?	평가에 관해 학습하는 것의 흥미 수준을 1(매우 낮음)부터 7(매우 높음)로 점수를 매기시오.

평가는 일반적으로 간접적이다. 우리는 평가 문제의 정답과 같은 것으로 학습자의 수행을 관찰한다. 학습자의 수행으로부터, 우리는 학습자의 지식, 과정, 특성을 추론하는 것이다.

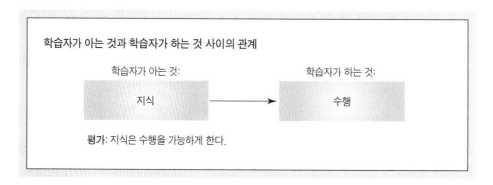

2　평가과학이란 무엇인가?

이 책의 서론에서, 우리는 평가과학을 아래와 같이 정의했다. 그러나, 이 장에서 그 정의를 조금 더 정교화하도록 하자.

평가과학이란 무엇인가?

정의:　평가과학이란 인간이 알고 있는 것이 무엇인지 밝히는 과학적인 연구이다.
목적:　학습 결과, 학습 과정, 학습 특성을 평가하기 위한, 타당하고 신뢰로운 도구
준거:　도구는 타당하고 신뢰로워야 한다.

평가과학이란 인간이 알고 있는 것이 무엇인지를 어떻게 밝혀내는지에 대한 과학적인 연구이다. 최근 James Pellegrino, Naomi Chudowsky와 Robert Glaser가 『학생들이 아는 것을 아는 것(Knowing What Students Know)』이라는 주제로 National Research Council에서 내놓은 최근의 연구를 보면, 이의 요점은 아래와 같다.

교육평가는 학생들이 얼마나 잘 학습하였는지를 밝혀내고자 하는 것이다. (p. 1)

간단히 말해, 평가과학은 "학생들이 알고 있는 것을 아는 방법을 설계하는 것"과 관련 있다.

평가과학의 주된 목적은 학습자가 학습한 것, 즉 학습 이후에 학습자가 알고 있는 것에 대한 변화를 밝혀내기 위한 도구(또는 방법)를 개발하는 것이다. 추가적으로 평가과학의 몇 가지 목적은 학습자가 학습하는 동안 참여하는 인지과정이나 학습 이전의 학습자 특성을 밝혀내기 위한 도구(또는 방법)를 개발하는 것이다.

중요한 준거는 평가 도구의 타당성, 즉 그것이 측정하고자 하는 것을 측정하는가와 신뢰성, 즉 동일한 상황하에서 실행되었을 때 동일한 측정결과를 보이는가이다.

보시다시피, 유용한 평가 도구를 가지고 있다는 것은 교육에 있어 학습과학을 적용하고자 할 때 필수불가결한 것이다. 우리가 학습에서의 근거기반 이론이나 교수의 근거기반 원리를 개발하고자 한다면, 우리는 인간이 학습한 것을 평가할 수 있어야만

한다. 간단하게 말해, 교육적 평가는 "근거"에 "근거기반 실천"을 더하는 것이다. 요약하자면, 교육 연구에서의 근본적인 도전은 학생들이 아는 것이 무엇인지 우리에게 말해주는 유용한 평가 도구의 개발과 관련되어 있다.

3 평가의 세 가지 기능

평가는 본질적으로 교수와 관련되어 있다. 특히, 평가는 세 가지 교수적 기능으로, 즉 교수 이전에는 학습자의 특성을 설명하는 것으로, 교수 중에는 학습자가 교수에 어떻게 반응하는가를 보여주는 것으로, 교수 이후에는 무엇을 학습하였는지를 보여주는 것으로 활용될 수 있다. 이러한 세 가지 기능은 아래의 표에 정리되어 있다. 표의 세 번째 줄에 언급된 바와 같이, 평가의 주된 기능은 교수 이후 학습자의 지식을 평가하기 위한 것이다.

평가의 세 가지 기능		
시기	**기능**	**예**
교수 전	적절한 교수를 계획하기 위해 학습자의 특성 파악하기	이미 알고 있는 것은 무엇인가?
교수 중	진행 중인 수업을 조정하기 위해 학습자가 학습하는 것 파악하기	수업으로부터 학습하고 있는 것은 무엇인가?
교수 후	학생의 학습을 문서화시켜 성적으로 제공하기; 프로그램의 수정을 위한 기초자료 제공하기	교수과정으로부터 학습한 것은 무엇인가?

학습 이전의 평가(*사전 평가*)에 대해 말하는 첫 번째 줄에서 볼 수 있듯이, 학습자의 선수 지식이나 흥미, 학습 능력 등과 같이 학습자에 대해 무엇인가를 아는 것은 매우 유용하다. 예를 들어, 수학 수업의 첫 해에, 우리는 학습자의 기초 산수 지식을 평가하기 위해 사전 평가를 할 수 있다. 여러분이 교육적 의사결정을 내리는 데 있어, 개인차 차원에서 가장 중요한 단일 요소는 학습자의 지식이다.

두 번째 줄에서 보는 바와 같이, 형성 평가로 불리는 교수과정에서의 평가는 여러 차시 수업 중에 한 차시의 수업이나, 8시간 워크숍에서 20분씩 나누어 학습하는 것과 같이 짧은 기간 동안 학습한 것을 평가하는 것을 의미한다. 예를 들어, 수업의 어떤 지점에서, 교수자는 칠판에 문제를 적고 그들이 그것을 받아적고 해답을 적게 함으로써 비공식적인 퀴즈를 낼 수 있다. 퀴즈의 결과를 평가함으로써 교수자는 수업의 속도나 방법이 효과적인지를 파악하고, 더욱 많은 교수가 필요한 지점이 어디인지를 정확히 파악할 수 있다.

세 번째 줄에서 보는 바와 *총괄 평가*로 불리는 교수 이후의 평가는 전체 프로그램이나 코스와 같이 오랜 기간 동안 학습한 것으로 평가하는 것을 의미한다. 예를 들어, 대수학 코스 후, 학습자는 전체 코스를 포괄하는 내용의 최종 평가를 받는다. 문서화하여 제공된 평가 점수는 학생들이 대수학을 배움에 있어, 효과가 있는 코스를 말해 준다. 교수 이후의 평가는 또한 다음 번의 코스를 가르칠 때 개선하여야 할 지점을 말해 줌으로써 형성적인 역할을 제공하기도 한다.

4 유용한 평가 도구의 구성방법

평가 도구(간단하게 말해서 "시험"이라 부르는 것)의 적절한 사용을 위해서는 다음의 네 가지 특성을 포함해야 한다.

1. *타당성:* 평가 점수는 적절한 목적을 위해 해석되고 사용되어야 한다.
2. *신뢰성:* 평가는 동일한 조건하에서 항상 동일한 점수가 일관되게 부여되어야 한다.
3. *객관성:* 평가 점수는 모든 득점자에게 같은 방식으로 부여되어야 한다.
4. *참조성:* 평가 점수는 해석하기 쉬운 형태로 부여되어야 한다.

유용한 평가 점수의 네 가지 특성

특성	정의	실행 방법
타당성	평가 점수는 적절한 목적을 위해 해석되고 사용되어야 한다.	평가내용과 의도된 내용이 일치되는 정도(내용 관련 증거); 준거과제에 있어 평가와 미래 수행과의 상관관계(준거 관련 증거)
신뢰성	평가는 항상 동일한 점수가 부여되어야 한다.	평가와 재평가와의 상관관계(시험-재시험 신뢰성); 하나의 평가를 동형이 되도록 두 개로 나눈 문항 점수들의 상관관계(반분 신뢰도)
객관성	평가는 모든 득점자에게 동일한 방식으로 점수를 주어야 한다.	두 명의 평가자 간 점수의 상관관계(평가자간 신뢰도)
참조성	평가 점수는 해석 가능하여야 한다.	평균 이상 또는 이하의 표준 편차 수(표준 점수); 원 점수 이하의 점수 비율(백분위 점수); 규준이 충족되는지의 여부

*타당도*는 평가 점수가 적절한 목적을 위해 해석되고 사용되는 정도에 달려 있다. 1999년도에 출판된 『교육 및 심리 평가를 위한 표준(Standards for Educational and Psychological Testing)』에 따르면, 타당도는 평가의 본질적인 성질이 아니라 제시된 학습자의 평가 점수에 함의된 해석을 지지해 줄 수 있는 근거와 이론의 정도로 간주될 수 있다(p. 9). 타당도와 관련된 두 가지 증거는 *내용관련 근거(content-related evidence)*와 *준거관련 근거(criterion-related evidence)*이다. 내용관련 근거는 평가문항이 관련 내용을 포함하고 있는가에 대한 정도로 간주된다(공식적으로는 *안면 타당도* 또는 *내용 타당도*라 불린다). 예를 들어, 기하학의 내용을 포함하고 있는 분수의 덧셈과 뺄셈을 측정하기 위한 평가가 있다면, 이 평가의 사용은 타당도를 지지하기 위한 증거가 부족하게 된다. 준거관련 근거는 준거 측정에 의한 미래 수행과 관련된 정도로 간주된다(공식적으로는 *예언 타당도*라 불린다). 예를 들어, 대학 입학 평가의 점수는 (그 학생의) 대학의 성적과 강하게 연관되어 있다. 100명의 학생에 대한 대학 입학 성적과 그들의 대학에서의 첫 두 해 간의 성적을 비교해 보자. 그것 사이에 긍정적인 상관관계가 없다면, 평가의 타당성은 결여된 것이다. 신뢰도는 평가 점수의 일관성으로 간주된다.

신뢰도 있는 평가는 동일한 조건하에서 동일한 점수가 나온다. 평가의 신뢰도를 확인하는 두 방법은 *평가-재평가 신뢰도*와 *반분 신뢰도*이다. 평가-재평가 신뢰도는 평가를 치르고 난 후 이상적인 조건하에서 다시 한 번 평가를 실시하는 것이다. 두 개의 점수가 상관이 높게 나온다면 평가는 신뢰로운 것이다. 20명의 학생이 같은 10개의 단어로 동일한 조건하에서 2번의 평가를 치르는 것을 가정했을 때, 많은 학생들이 첫 번째 평가보다 두 번째 평가의 점수가 더 높거나 낮게 나온다면 테스트는 신뢰롭지 않은 것이다. 반분 신뢰도에서는 한 평가 문제의 반과 그 나머지 반의 점수를 비교하는 것이다. 예를 들어 25명의 각각의 학생을 대상으로 한 20문제의 수학 문제에서, 무작위로 선택한 10문제의 점수 평균과 나머지 10문제의 점수 평균을 비교하는 것이다. 두 점수 사이에 상관이 있다면 신뢰도가 있는 것이다. 더욱 많은 평가문항이 있다면 보다 더 신뢰성을 가질 수 있으며, 반분 신뢰도는 모든 문항이 동일한 수준에 있을 경우에 가능하게 된다.

*객관성*은 평가에 있어 채점자와 관계없이 동일한 방식으로 채점되는 것으로 신뢰도의 또 다른 형태이다. 평가의 객관성을 평가하는 한 가지 방법은 응시자의 결과물에 대해 두 명의 서로 다른 채점자가 점수를 매기는 것이다. 예를 들어, 20명의 응시

자 점수를 채점하기 위해 여러분이 두 명의 채점자를 선정하는 것이다. 평가가 객관적이라면 한 채점자의 점수와 다른 한 채점자의 점수가 상관이 있을 것이며, 이러한 상관관계를 *채점자 간 신뢰도*라 한다. 객관적인 평가를 생각할 때, 객관식 평가를 생각할 수 있을 것이다. 이는 채점자의 일부분에 대한 판단을 필요로 하지 않기 때문에 객관적인 평가라는 정확한 가정을 할 수 있다. 또한, 서술형 문제(예를 들어 에세이 문제)도 채점 기준(또는 평가 기준)이 명확할수록 객관성이 높아지게 된다.

참조성은 원점수가 의미하는 바를 알 수 있게 해준다. *규준지향*(또는 표준화된) 평가는 다른 응시자에 비교해 당신이 위치한 점수를 확인할 수 있도록 한다. 이러한 표준화에 대한 두 가지 일반적인 접근은 *표준 점수*와 *백분위* 점수이다. 표준 점수에서 학습자가 습득한 평균 점수를 뺀 것을 표준 편차로 나누게 된다. 이렇게 원점수를 표준 점수로 변환하는 것은 당신의 점수가 평균으로부터 얼마나 아래 위의 표준 편차에 위치해 있는지 말해준다. +0.8의 표준 점수는 당신의 점수의 위치가 0.8의 평균보다 높은 표준 편차임을 말해준다. 백분위 점수는 당신의 원점수를 얼마나 많은 사람이 여러분 위에 혹은 아래에 있는지를 셈으로써 백분위로 변환한 것이다. 80의 백분위 점수는 여러분이 80%의 응시자의 위에 위치해 있음을 말해준다. 여러분이 보는 바와 같이, 표준 점수는 원점수가 의미하는 바를 해석할 수 있도록 한다. 만약, 여러분이 다른 시험응시자와 비교하여 점수를 해석하기를 원한다면, 표준화가 필요하게 된다. *준거지향* 평가는 학습자가 구체적인 과제를 성취했는지 못했는지와 같은 학습자의 구체적인 학습목표 달성여부를 확인 가능하게 해준다. 준거참조성은 임의적으로 선택된다기보다는 타당한 근거를 가지고 지지되는 확실한 평가문항을 가지고 수행되는 점수를 해석하기 위한 것이다.

교수 효과에 대한 연구란 무엇인가?

5

교수 효과성을 평가함에 있어서, 연구 방법의 각기 다른 유형에 따라 최선의 해답을 찾을 수 있는 세 가지의 기본적인 유형의 질문이 있다.

1. *무엇이 작동하는가?* 첫째, 우리는 특별히 고안된 교수 방법이 효과적인지에 대해 알고 싶어한다. 예를 들면, 강의 중 웃음이나 몸짓의 효과성을 평가하는 것은, 강의자가 강의 중 웃음과 몸짓을 보여주는 경우와 동일한 강의자가 동일한 강의에서 웃음과 몸짓을 보여주지 않는 경우의 평균 점수를 비교하는 것이다.

2. *언제 작동하는가?* 둘째, 우리는 특별히 고안된 교수 방법이 학습자의 특성, 또는 교수 목표의 특성, 또는 학습 환경의 특성에 따라 효과적인지에 대해 알고 싶어한다. 예를 들면 웃음이나 몸짓이 동일한 조건하에서 학습자의 특성에 따라 달라지는지 보기 위해 높은 수행의 학습자와 낮은 수행의 학습자를 분리하여 강의를 동일하게 비교할 수 있다.

교수 효과에 대한 세 가지 유형의 질문

질문	이슈	예	방법
무엇이 작동하는가?	교수 방법이 학습을 유발하는가?	수업을 하는 동안 웃음과 몸짓을 보여주는 것이 그렇지 않은 것보다 학생들이 더 잘 학습하는가?	실험 비교
언제 작동하는가?	교수 방법이 어떤 학습자의 특성, 교수 목표, 또는 학습 환경에 더 잘 작용하는가?	수업 중 웃음과 몸짓의 효과가 남자와 여자 중 어느 쪽에 더 영향을 미치는가?	요인 실험 비교
어떻게 작동하는가?	방법의 효과성 기저에 있는 메커니즘은 무엇인가?	왜 웃음이나 몸짓을 보여주었을 때 인간은 더 잘 학습하는가?	관찰 분석, 질문지, 인터뷰

3. *어떻게 작동하는가?* 셋째, 우리는 학습자가 학습하는 동안 학습자의 정신 속에서 발생하는 것, 즉 교육 방법이 발생시키는 효과의 메커니즘이 무엇인지에 대해 알고자 할 것이다. 예를 들면, 학습자에게 강의자의 웃음이나 몸짓을 볼 때 마음 속에 일어나는 것들에 대해 기술하게 하거나, 질문지를 채우게 하거나, 학습하는 동안 진행되었던 것에 대해 면담을 요청할 수 있다.

(1) 무엇이 작동하는가?: 무작위 통제 실험 사용하기

교수 방법이 작용하는지를 어떻게 말할 수 있는가? *실험 비교*는 교수적 처치가 학습자의 지식에 변화를 일으키는지의 여부를 확인해 주는 가장 강력한 방법이다. 요약하자면, 여러분의 목적에 있어 교수 방법이 학습 결과에 어떠한 영향을 미치는지의 여부를 확인하는 것이라면, 실험 비교를 설계하는 것이 가장 이상적인 방법이다. 실험 비교(*무작위 통제 실험* 또는 간단하게 *실험*)는 세 가지 특성을 가지며, *실험 통제, 무작위 배치, 적절한 측정*이 이에 해당한다.

실험의 세 가지 특성

특성	정의	예
실험 통제	실험 집단과 통제 집단에서 한 가지 요소(즉, 교수적 처치)만 제외하고 동일한 처치를 하는 것	한 집단은 수업에서 책을 읽고(통제 집단) 다른 집단은 동일한 수업에서 키워드가 굵은 글씨로 강조된 책을 읽는 것
무작위 배치	학습자들을 집단(또는 처치 조건)에 무작위로 배치하는 것	50명의 학생 중 25명은 통제된 수업에, 25명은 실험 수업에 무작위로 배치하는 것
적절한 측정	각 그룹의 평균(M), 표준 편차(SD), 사례 수(n)가 학습에 적절한 측정을 말해주는 것	20문항의 이해력 평가에서 실험 집단의 학생의 점수(M = 15, SD = 3)가 통제 집단의 학생의 점수(M = 12, SD = 3)보다 높은 것

실험 비교를 시행하기 위하여, 먼저 통제된 수업(예를 들어 파도에 대한 교과서 내용)과 수업에 있어서 한 가지 요소가 처치된 실험 수업(예를 들어 동일한 수업내용에서 키워드가 굵은 글씨로 강조된 것)을 만든다. 이 방법에서는 당신이 의도적으로 조작하는 한 가지 요소를 제외하고는 두 수업의 모든 것이 동일하게 통제되어야 한다. 다음, 학습자 사례수를 파악하여 통제된 수업과 처치된 실험 수업에 무작위적으로 선택하여 배치하며, 이러한 방법으로 무작위 배치의 요건이 충족되는 것이다. 마지막으로, 모든 학습자가 자료를 이해했는지 평가를 실시하며, 각 집단의 평균 점수와 표준편차를 계산하여 점수를 산출한다. 이러한 방법으로 적절한 측정의 요건이 충족되는 것이다.

이러한 정의와 사례는 여러분이 두 개의 서로 다른 집단을 가지고 있을 때를 가정하지만(즉 '피험자 간 설계'), 실험 집단과 통제 집단이 동일한 학습자를 대상으로 할 때도 가능하며, 이는 두 개의 서로 다른 집단이 아닌 두 개의 서로 다른 처치 조건을 가질 때 가능하게 된다(즉 '피험자 내 설계'). 대부분 교수방법 비교 실험에서는 피험자 간 설계를 사용한다.

아래의 상자에서, 여러분은 세 가지 필요조건―실험 통제, 무작위 배치, 적절한 측정―을 이해했는지 볼 수 있다.

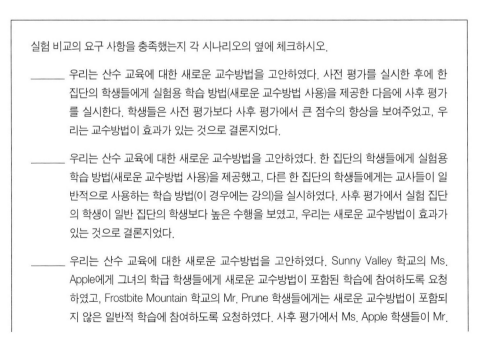

실험 비교의 요구 사항을 충족했는지 각 시나리오의 옆에 체크하시오.

_____ 우리는 산수 교육에 대한 새로운 교수방법을 고안하였다. 사전 평가를 실시한 후에 한 집단의 학생들에게 실험용 학습 방법(새로운 교수방법 사용)을 제공한 다음에 사후 평가를 실시한다. 학생들은 사전 평가보다 사후 평가에서 큰 점수의 향상을 보여주었고, 우리는 교수방법이 효과가 있는 것으로 결론지었다.

_____ 우리는 산수 교육에 대한 새로운 교수방법을 고안하였다. 한 집단의 학생들에게 실험용 학습 방법(새로운 교수방법 사용)을 제공했고, 다른 한 집단의 학생들에게는 교사들이 일반적으로 사용하는 학습 방법(이 경우에는 강의)을 실시하였다. 사후 평가에서 실험 집단의 학생이 일반 집단의 학생보다 높은 수행을 보였고, 우리는 새로운 교수방법이 효과가 있는 것으로 결론지었다.

_____ 우리는 산수 교육에 대한 새로운 교수방법을 고안하였다. Sunny Valley 학교의 Ms. Apple에게 그녀의 학급 학생들에게 새로운 교수방법이 포함된 학습에 참여하도록 요청하였고, Frostbite Mountain 학교의 Mr. Prune 학생들에게는 새로운 교수방법이 포함되지 않은 일반적 학습에 참여하도록 요청하였다. 사후 평가에서 Ms. Apple 학생들이 Mr.

> Prune 학생들보다 높은 수행을 보였고, 우리는 새로운 교수방법이 효과가 있는 것으로 결론지었다.
>
> _____ 우리는 산수 교육에 대한 새로운 교수방법을 고안하였다. 학급의 30명 학생 중 15명을 무작위로 선택하여, 실험을 실시하였고, 15명에게는 교수방법을 실시하였다. 우리는 학생들에게 그들이 얼마나 잘 학습하였는지 1에서 10 사이에서 점수를 매기도록 하였다. 실험 집단의 학생들이 통제 집단의 학생들보다 더 많이 습득하였고, 우리는 교수방법이 효과가 있는 것으로 결론지었다.

　여러분이 상자 안에 어떠한 체크도 하지 않았다면, 여러분은 실험 비교에 대해 잘 이해했거나, 아니면 연필을 가져오는 것을 잊었을 수도 있을 것이다. 처음 두 개의 시나리오는 실험 통제가 결여되어 있으며(두 번째가 첫 번째보다는 낫지만), 세 번째의 경우 무작위 배치가 결여되었고(두 집단을 동일하게 하는 통계적 기술을 사용했다고 해도), 네 번째의 경우 적절한 측정이 결여되었다. 이상에서 보듯이 "무엇이 작동하는가?"라는 질문에 대한 해답을 찾고자 할 때, 고민하는 여러 경우가 있다. 교수 효과를 확인하는 것은 평가의 중요한 목적이 된다.

　American Educational Research Association에서 발행된 『인과 효과 예측(Estimating Casual Effects)』를 보면, 교육 연구자들의 공통적인 중론은 실험이 교수 효과를 평가하는 데 사용되어야 한다는 것이다(p. 11).

(2) 언제 작동하는가?: 요인 실험 사용하기

무엇이 작동하는지를 묻는 것은 좋은 첫 단계이지만, 그것은 교수 효과성의 일부분만을 말해줄 뿐이다. 예를 들어, 여러 실험 비교에 기반한 추정으로, 연구자들은 강의 중 강사의 웃음과 몸짓이 있을 때 학생들이 더 잘 학습한다는 사실을 발견했다고 하자. 이론적 이유는 아마도 학생들은 강의 중 강사와 더욱 개인적으로 연관되었다고 느꼈을 것이고, 강사가 말하는 것을 더 잘 이해하려고 노력했기 때문일 것이다. 다음 중요한 단계는 교수 원리에 대한 경계 조건이 있는지를 확인하는 것이다. 즉 원리들이 적용되거나 적용되지 않는 학습 상황의 종류, 매체의 종류, 대상자 등을 알고자 하는 것이다. 이러한 질문을 확인하기 위해, 학생들을 교수자의 웃음이나 몸짓이 있는 강의에 무작위로 배치하거나, 반대로 교수자의 웃음이나 몸짓이 없는 강의에 배치한 실험을 수행할 수 있을 것이다. 또한 학생들 반은 앞에 앉히거나 반은 뒤에 앉히는 것으로 확인할 수 있다. 이것이 요인 실험인데, 왜냐하면 이것은 여러 요인들—이 경우에는 처치 집단이 하나의 요인이고, 학생의 타입이 다른 요인—이 연관되어 있기 때문이다. 아래의 표는 후속 검사(%에 기초한) 결과의 가능한 패턴을 보여준다.

유사 실험을 사용한 요인 비교

처치 집단	학생 유형	
	앞에 앉은 학생	뒤에 앉은 학생
웃음과 몸짓이 있는 강의	80%	60%
웃음 또는 몸짓이 없는 강의	60%	60%

이 경우, 교수적 처치—웃음과 몸짓—가 학급에서 앞에 앉은 학생에게 실질적인 효과가 있음을, 뒤에 앉은 학생에게는 그렇지 않음을 보여준다. 그러므로, 웃음과 몸짓 효과의 중요한 경계 조건이 학생을 교실 안에서 앞에 앉도록 하는 것임을 확인할 수 있다. 이것이 유사 실험인 이유는 학생을 무작위로 배치하지 않았기 때문에, 즉 학생들이 원하는 곳에 앉도록 내버려두었기 때문이다. 만약 학생들을 무작위로 앉도록 했다면, 이는 (유사 실험이라기보다는) 실험이 된다. 교수 효과를 위한 경계 조건을 확인하는 것은 평가의 중요한 목적이 된다.

(3) 어떻게 작동하는가?: 관찰 분석 사용하기

추가적으로 교수적 처치가 작동하는지와 언제 작동하는지를 확인하기 위한 다음 단계는, 어떻게 그것이 작동하는지를 확인하는 것이다. 예를 들어 강의 중 웃음과 몸짓을 보여주는 것이 왜 학생들로 하여금 더 많은 학습을 가능하게 하는 것일까? 이러한 질문에 답변하기 위한 유용한 평가 기술은 관찰 분석(obsevational analysis)이다. 이는 인산이 학습 도중에 무엇을 하는지를 관찰하고 기술하는 것이다. 관찰 분석은 때로 관찰 점수 기준에 기반하여 몇 가지의 영역으로 분류하는 것을 포함한다. 예를 들어, 아래에 보이듯이 강의 중 매 15초마다 학생들을 세밀히 관찰하고, 수업과 연관된 참여 활동(예를 들어 강의자를 보는 것, 화면을 보는 것, 노트에 필기하는 것)과 수업과 연관되지 않은 참여 활동(예를 들어 다른 것을 보는 것, 문자메시지 주고받기, 낙서, 이메일 등)을 기록하는 것이다.

학급 관찰 분석 기준

매 15초마다 학생을 관찰하고 기록하시오.

_____　과제 집중 (교수자 응시, 화면 응시, 필기)

_____　과제 비집중 (문자, 이메일, 낙서, 다른 곳 보기)

웃음과 몸짓 집단의 학생이 노트 필기와 같은 과제 집중 활동에 더 많은 시간을 보내고, 통제 집단의 학생이 과제 비집중 즉, 수업과 연관되지 않은 활동에 더 많은 시간을 보낸다고 가정하자. 이는 웃음과 몸짓을 보여주는 것이 학생들로 하여금 더 많은 학습이 되도록 이끌어 준다는 것을 의미한다. 또한, 두 집단의 학생들에 의해 기록된 노트를 보도록 하자. 우리는 노트에 적힌 각각의 생각들을 기본적 사실과 유의미 학습으로 구분할 수 있다. 웃음과 몸짓 집단의 학생이 유의미 학습과 관련된 내용들을 노트에 기록하는 것에 비해, 통제 집단의 학생들은 더 단순한 정보만을 기록한다고 가정하자. 이를 종합하면, 관찰 분석을 통해 웃음과 몸짓이 학생들을 더 많이 학습하게 한다는 사실을 추측할 수 있게 된다.

이와 관련된 유사한 방법으로는 학습자들에게 그들이 학습하는 동안 했던 것이나 생각한 것을 묘사하도록 요구하는 인터뷰나 질문지법을 활용하는 것이 있다. 예를 들어 학습이 끝난 후 아래와 같은 간단한 질문들을 줄 수 있다.

만약 웃음과 몸짓 집단의 학생들이 통제 집단의 학생들보다 높은 점수를 받는다
면, 우리는 우리의 교수적 처치를 지지할 수 있고, 따라서 그것(웃음과 몸짓)이 학생
들을 더 열심히 학습하게 한다고 생각할 수 있을 것이다. 이상으로, 학습자들이 하는
것을 관찰하는 것(그리고 그들이 그렇게 한다고 말하는 것)은 어떻게 교수가 작동하
는지에 대한 중요한 근거를 제공해 준다.

6 실험에 대한 고찰

아래와 같은 결과가 나온 비교 실험을 실시했다고 가정하자. 처치 집단(또는 실험 집단)은 전이 평가에서 85점의 평균 점수를 얻었고, 반면 통제 집단의 평균은 80이고, 양 집단의 표준 편차는 10이다.

실험 비교 결과

집단	평균(M)	표준 편차(SD)	사례수(n)
처치	85	10	30
통제	80	10	30

이 차이가 교육에 있어서 실제적으로 중요하다면, 어떻게 그것을 말할 수 있을까? 실험 비교에 있어서 실제적 중요성을 평가하는 중요한 방법은 다음에 언급할 효과 크기(effect size)를 계산하는 것이다.

(1) 교수 효과를 측정하기 위한 효과 크기 사용하기

*효과 크기(effect size)*는 효과의 강도를 측정하는 것이다. 이것은 교육 효과성을 평가하기 위한 일반적인 측정으로 통제 집단에 비해 교육적 방법에 의해 향상(또는 퇴보)된 표준 편차의 수를 의미한다. Jacob Cohen의 저서 『Statistical Power Analysis for the Behavioral Science: Second Edition』에서 효과 크기(*d*)는 처치 집단의 평균에서 통제 집단의 평균을 뺀 것을 공통의 표준 편차로 나누어서 계산할 수 있다.

위에 제시된 실험 비교 결과를 살펴보면, 효과 크기는 (85−80)/10 즉 0.5가 된다.

이는 실험 집단의 점수가 통제 집단의 점수보다 1/2의 표준 편차만큼 크다는 것을 의미한다.

어떤 연구자들은 에타 제곱(η^2)과 같은 다른 효과 크기의 측정을 사용하기도 하는 데, 모든 효과 크기의 목적은 효과의 강도를 확인하는 것이다.

아래의 표에 제시된 바와 같이 Jacob Cohen에 따르면 0.5의 효과 크기는 중간 정도의 효과로 간주된다.

효과 크기(d)	강도
.2보다 작음	무시해도 될 정도
.2	작음
.5	중간
.8 혹은 그 이상	큼

이러한 가이드라인에서 잘못된 점은 무엇인가? Jacob Cohen과 다른 연구자들에 따르면, 작은 효과(small effect)는 상황에 따라 매우 중요하게 취급될 수 있다는 점이다. 예를 들어 Robert Rosenthal과 동료들이 이틀에 한 번 아스피린 또는 가짜 약을 받은 사람들의 심장 발작 비율을 비교해 본 연구가 있다. 이 연구의 결과, 비록 아스피린의 효과 크기는 매우 작은 것으로 측정되었지만, 그것으로 인해 3.4% 이하의 사람이 심장 발작을 일으킬 수 있다는 것이 밝혀졌다. 이러한 효과 크기는 매우 중요하다는 사실이 명백해진다.

메타분석에서 효과 크기 사용하기

*복제(replication)*는 다양한 수업 내용, 학생의 유형, 또는 학습 장소 등에 따라 동일한 실험 비교를 수행하는 것을 일컫는다. 실험 비교의 복제는 원래 실험을 넘어서 효과가 어느 정도까지 일반화될 수 있는지 확인하는 데 유용하다. 많은 수의 실험이 동일한 처치-통제 비교를 수행할 때, 평균 효과 크기의 계산이 가능하다. 이와 같이 많은 실험 비교를 통한 평균 효과 크기의 계산 과정을 *메타분석(meta-analysis)*이라 한다. 메타분석을 통하여, 커다란 효과 크기가 주로 학생의 유형에서 발생하는지, 혹은 교수 목표나, 학습 환경의 종류에서 발생하는지 확인할 수 있다.

예를 들어, 40번의 실험 비교를 하는 메타분석을 따라가는 것을 생각해 보자. 교수 방법 1은 낮은 지식의 학습자에게 중간에서 큰 효과 크기를 가지며(12번의 비교), 높은 지식의 학습자에게는 효과가 없는(10번의 비교) 경우이다. 반면 교수 방법 2는 높은 지식의 학습자에게는 중간 수준의 효과 크기가 있으며(8번의 비교), 낮은 지식의 학습자에게는 효과가 없는(10번의 비교) 경우이다. 알다시피, 근거가 축적되면서, 무엇이 작동하고, 어떤 조건하에서 작동하는지를 말할 수 있다. 첫 번째 방법은 낮은 지식의 학습자에게 더욱 효과적이며, 두 번째 방법은 높은 지식의 학습자에게 더욱 효과적이라는 것이다.

가정적 메타분석

교수 방법	학습자 유형			
	높은 선수 지식		낮은 선수 지식	
	효과 크기 평균(d)	횟수	효과 크기 평균(d)	횟수
방법 1	.1	10	.7	12
방법 2	.5	8	.0	10

(2) 실험 집단과 통제 집단 사이에 처치의 차이가 없는 여섯 가지 이유

여러분이 외국어 어휘를 가르치기 위한 새로운 교수 방법을 고안했다고 가정하자. 여러분은 무작위 통제 실험(이후에는 '실험'이라고 하자)을 구성하였지만, 실험 집단은 통제 집단보다 사후 평가에서 유의미하게 향상된 수행을 보여주지 못하였다. 왜 유의미한 차이가 발생하지 않았을까? 아래의 표는 실험 집단과 통제 집단 사이에 유의미한 차이가 없는 것에 대한 여섯 가지의 이유를 제시하고 있다.

왜 실험 집단과 통제 집단 사이에 유의미한 차이가 없는가?

이유	예	해결책
처치 효과성	처치가 효과적이지 않다.	방법이 효과가 없는 것으로 결론 짓는다.
불충분한 사례수	각 집단의 학습자가 충분하지 않다.	사례수를 늘린다.

민감하지 않은 종속 변인 측정	종속 변인의 측정이 학습 결과의 차이를 감지할 정도로 민감하지 못했다.	더욱 적합한 측정치를 사용한다.
처치 충실도	처치 집단과 통제 집단이 서로 간에 충분한 차이가 없었다.	보다 극대화된 처치를 실행한다.
민감하지 않은 학습자	학습자들이 처치에 충분히 민감하지 않았다.	더욱 적합한 학습자를 선택한다.
변인의 혼동	처치 집단과 통제 집단의 중요 변인이 다르다.	혼동을 야기시킨 변인을 통계적으로 통제한다.

차이가 없는 가장 간명한 이유는 당신의 처치가 효과적이지 않았기 때문이다. 만약 집단이 종속된 측정에서 유의미한 차이를 보여주지 않는다면 이것이 바로 그 이유가 된다. 그러나, 우리가 일반적으로 사용하는 통계적 평가는 가능성을 최소화하도록 설계되었고, 당신은 효과가 없었음에도 불구하고 효과가 있는 것으로 결론을 내릴 수도 있다(제1 유형의 오류: type I error). 반대로, 효과가 실제 있었음에도 불구하고 효과가 없는 것으로 결론을 내릴 수도 있다(제2 유형의 오류: type II error). 아래의 표에서 보여주듯이 교육 연구자들은 제1 유형의 오류를 피하는 것에 가치를 두다가(대부분의 실험에서 $p < .05$로 놓는 것으로), 제2 유형의 오류에 빠지게 될 가능성이 증가하게 된다.

통계적 오류의 두 가지 유형

유형	기술	설명
제1 유형의 오류	효과가 없음에도 있는 것으로 결정하기	$p < .05$는 제1 유형의 오류에 빠질 가능성이 5% 미만이라는 것을 의미
제2 유형의 오류	효과가 있음에도 없는 것으로 결정하기	$p < .05$는 제2 유형의 오류와 관련 있는 것은 아니지만, 제2 유형의 오류 가능성이 5% 이상 증가할 수도 있다는 것을 의미

당신의 교수적 처치가 효과가 있음에도 통제 집단과 실험 집단 사이에 유의미한 차이가 없는 몇 가지 다른 이유를 생각해 보자. 아마도, 가장 주된 문제는 각 집단에 학습자의 수가 충분하지 않기 때문일 것이다. Jacob Cohen의 저서 『Statistical Power Analysis for the Behavioral Sciences』에서 제안한 (0.80의 강도에 기초한) '검증력 분석'에 따르면, 강한 효과 크기($d = 0.8$)라면, 각 집단에 26명의 학습자가 필요하고, 중간 효과 크기($d = 0.5$)라면, 각 집단에 64명의 학습자가 필요하고, 작은 효과 크기($d = 0.2$)라면, 각 집단에 393명의 학습자가 필요하다고 한다. 예를 들어 각 집단에 10 또는 12명의 학습자가 있다면, 당신의 교수적 방법이 효과가 있는지의 여부를 적절하게 테스트하기에 충분하지 못하다는 것을 의미한다. 이러한 문제는 각 집단 내에서 학습자가 서로 다를 때 더 악화될 수 있다.

적절한 통계적 검증력을 얻기 위해 각 집단에 요구되는 학습자의 수	
만약 예상되는 효과 크기가 이 정도라면	각 집단에 필요한 학습자의 수
강함($d = .8$)	26
중간($d = .5$)	64
약함($d = .2$)	393

유의미한 차이가 없는 다른 일반적인 이유는 종속 변인의 측정이 학습 결과를 측정하기에 적합하지 않기 때문일 수 있다. 여러분의 평가를 유용한 평가로 만들기 위한 적절한 기준의 목록은 154쪽에 제시되어 있다. 적합한 종속 변인의 측정을 설계하는 것은 실험 연구에 있어 가장 도전적인 측면이 될 수 있기 때문에 학습 결과의 평가는 학습과학을 적용하는 데 있어서 중요한 역할이 된다.

실험 처치의 효과가 유의미한 차이가 없는 또 다른 잠재적 가능성이 있는 이유는 실험 처치가 통제 집단과 매우 유사하거나, 실험과 통제 처치를 지속적으로 관리하지 않았기 때문이다. 예를 들어, 통제 집단의 교사가 자신의 판단으로 실험 집단의 학습 자료를 활용하여 보충 지도를 할 경우가 이에 해당한다. 또 다른 이유는 실험 처치가 학습자에게 적합하지 않았기 때문일 수 있다. 예를 들어, 미적분학에서 우수한 교수 방법이 산수를 숙달하지 못한 학생들에게 적용된다면, 매우 긍정적인 학습 효과를 가져오지 못할 수 있다. 마지막으로 변인을 혼동하지 않도록 학습자들을 실험 집단과 통제 집단에 무작위로 확실히 배치하여야 한다.

7 학습 결과의 평가방법

학습과학을 적용함에 있어서 가장 중요하고 도전적인 과제 중의 하나는 학습 결과의
유용한 측정 방법을 개발하는 것이다. 특히, 이 장과 다음 장에서 다루어지는 이해를
측정하는 방법이 요구된다.

(1) 학습 결과를 측정하는 두 가지 방법

학습 결과를 측정하는 두 가지 고전적인 방법에는 학습자의 기억(recall)이나 재인
(recognize)을 요구하는 *파지 검사(retention test)*와 학습자가 배운 것을 새로운 상황
에 적용하는 *전이 검사(transfer test)*가 있다. 파지 검사는 기억에 초점이 맞추어져 있
으며, 흔히 평가의 형태로 활용되고, 반면 전이 검사는 이해에 초점이 맞추어져 있고,
흔히 교육의 목적으로 활용된다. 이 책에서 필자는 주로 전이에 초점을 두는데, 이유
는 이 측정방법이 기억과 더불어 이해 향상에 좀 더 많은 관심이 있기 때문이다.

학습 결과를 측정하는 두 가지 방법			
평가의 유형	평가의 목적	정의	예
파지	기억력 측정	제시된 학습내용을 기억하거나 재인하기	이 레슨에서 설명한 장치에 대해서 여러분이 기억하는 것을 모두 적으시오.
전이	이해력 측정	학습한 내용을 새로운 상황에 활용하거나 평가하기	방금 학습한 장치를 더욱 효과적으로 만들기 위해 어떻게 개선할 수 있을까?

얼마나 많은 전이가 평가에서 사용되어야 하는가? 파지 평가에서는 학습과 매우
유사하거나 이상적인 상황에 학습한 원리나 방법의 적용이 요구되는 전이를 포함하
지 않는다. 근전이(near transfer)는 학습자에게 새로운 상황에 새롭게 배운 원리나 방

법을 적용하여 문제를 해결하도록 요구하는 것을 포함한다. 원전이(far transfer)는 학습자에게 새로운 원리나 방법을 고안하게 하여 문제를 해결하도록 요구하는 것을 포함한다. 예를 들어, 만약 여러분이 두 자리 수 뺄셈, $54-35 =$ ＿＿ 에 대한 내용을 학습하였다면, 파지는 $64-45 =$ ＿＿ 를 풀게 하는 것이고, 근전이는 $354-135 =$ ＿＿ 를 풀게 하는 것이고, 원전이는 $54-x = 19$를 풀게 하는 것이다.

평가 문제에 있어 전이의 세 가지 수준		
수준	**설명**	**예**
파지	같은 혹은 비슷한 문제 풀기	두 자리 수 뺄셈 문제를 학습한 다음, 더 많은 두 자리 수 뺄셈 문제를 푼다.
근전이	새로운 상황에서 같은 원리나 방법을 적용하여 새로운 문제 풀기	두 자리 수 뺄셈 문제를 학습한 다음, 세 자리 수 뺄셈 문제를 푼다.
원전이	새로운 상황에서 새로운 원리나 방법을 적용하여 새로운 문제 풀기	두 자리 수 뺄셈 문제를 학습한 다음, 방정식 문제를 푼다.

필자의 연구에서, 가장 민감한 전이 평가 문제들은 근전이를 포함하고 있다. 학습을 한 이후 평가의 목적이 학습자의 내용 이해를 측정하기 위한 것일 때, 필자는 근전이의 측정에 초점을 맞추었다.

(2) 학습 결과의 세 종류

파지와 전이 평가에 있어 학습자의 수행을 바탕으로 우리는 세 가지 종류의 학습 결과를 규명할 수 있다. 하나는 *무 학습(no learning)*으로 파지와 전이 평가에서 낮은 수행을 보여주었을 때이고, 다른 하나는 *암기 학습(rote learning)*으로 파지 평가에서는 좋은 수행을, 전이 평가에서는 낮은 수행을 보여주었을 때이며, 나머지 하나는 *유의미 학습(meaningful learning)*으로 파지와 전이 평가 모두에서 높은 수행을 보여주는 것을 의미한다.

학습 결과의 세 종류			
학습 결과	인지적 기술	파지 평가 점수	전이 평가 점수
무 학습	지식 없음	낮음	낮음
암기 학습	파편적 지식	좋음	낮음
유의미 학습	통합된 지식	좋음	좋음

　표에서 보듯이, 암기 학습과 유의미 학습에 있어 가장 큰 차이점은 전이 평가 수행에서 나타난다. 그러므로, 필자는 학습 결과의 중요한 지표로서 전이 평가에 특별히 관심을 갖고자 한다.

　학습 결과를 평가하는 양적인 방법의 사용과 더불어, 우리는 학습하는 동안 또는 학습 이후의 학습자 인터뷰, 학습하는 동안의 학생 관찰(컴퓨터 기반 학습 환경에서 그들의 로그 파일을 검사하는 것을 포함해서), 또는 학습하는 동안의 상호작용을 관찰하는 등의 질적인 방법을 사용하여 학생들에게 얼마나 많은 안내가 필요한지를 확인할 수 있다. 질적 진술은 학습 결과를 진술하는 데 있어 풍부함을 더하여 줄 것이며, 기본적인 학습과정을 명료하게 하는 데 도움을 줄 수 있을 것이다.

유의미 학습과 암기 학습에 대한 고찰: Wertheimer의 평행사변형 수업

8

암기 학습과 유의미 학습의 차이는 심리학과 교육학에서 오랜 역사 동안 관심의 대상이었다. 예를 들어, 유명한 게슈탈트 심리학자인 Max Wertheimer의 저서 『Productive Thinking』에서 이러한 내용을 다룬 것이 그것이다. 유의미 학습과 암기 학습의 차이를 설명하기 위한 예로, Wertheimer는 아래에 제시된 평행사변형의 면적을 구하는 방법에 대해서 학생에게 가르치려 할 때를 가정하였다.

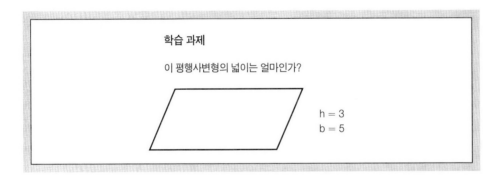

학습 과제

이 평행사변형의 넓이는 얼마인가?

h = 3
b = 5

암기 학습은 아래의 왼쪽과 같이 학생들에게 평행사변형 문제 해결의 절차를 보여주는 것이다. 이것은 암기 학습인데, 왜냐하면 그것을 왜 해야 하는지를 설명하지 않고, 무엇을 할 것인가에 대해서만 학습자에게 말하고 있기 때문이다. 유의미 학습은 아래의 오른쪽에 있는 것으로 학생들에게 종이 평행사변형의 한쪽 끝 삼각형을 잘

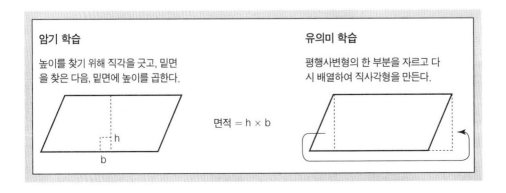

암기 학습

높이를 찾기 위해 직각을 긋고, 밑면을 찾은 다음, 밑면에 높이를 곱한다.

면적 = h × b

유의미 학습

평행사변형의 한 부분을 자르고 다시 배열하여 직사각형을 만든다.

라 다른 한쪽의 끝에 붙여 직사각형이 되도록 하는 것이다. 이러한 방법으로 학습자는 Wertheimer가 말한 *구조적 통찰*—이 경우에는 평행사변형을 변형하면 직사각형이 된다는 것—을 경험할 수 있게 된다. 학습자가 이미 직사각형의 면적을 구하는 방법을 안다고 가정할 때, 이 통찰은 곧 문제를 의미 있게 풀기 위해 요구되는 것이다.

Wertheimer에 따르면, 암기 방법과 유의미한 방법으로 가르친 학생들 모두 파지 평가의 문제, 즉 수업에서 평행사변형의 넓이를 찾게 하는 비슷한 문제들을 풀 수 있었다. 예를 들어, 꼭 높이가 4이고 밑면이 6이 아니더라도, 동일한 "학습 과제" 문제를 풀 것을 요청받았을 때 말이다.

그러나 아래의 표와 같은 전이 문제를 주었을 때, 어떠한 결과가 나타날까? 예를 들어 암기 방법으로 학습한 학습자에게 (아래의 왼쪽에 있는 것과 같은) 평행사변형의 직각을 그으라고 했을 때, 혼동을 일으키며 "우리는 아직 이것을 배운 적이 없다."고 말할 것이다. 반대로, 의미 있는 방법으로 학습한 학습자는 형태를 인지적 조작으로 재배치하여 직사각형을 만들어 문제를 해결할 수 있을 것이다. 이상에서 보듯이, 전이 평가의 수행은 유의미 학습과 암기 학습의 결과에 있어 각각 다르게 측정될 것이다.

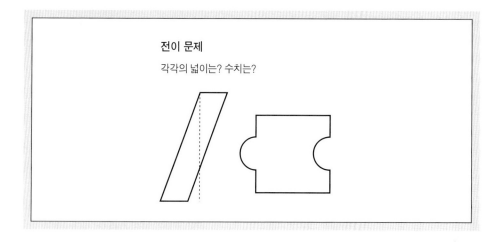

Max Wertheimer는 학습 결과를 평가하는 데 있어 파지 평가와 더불어 전이 평가의 중요성을 보여준 최초의 연구자들 중 한 명이다. 여러분의 목적이 수업에서 학습자의 내용 이해도를 평가하는 것이라면 적합한 평가는 전이를 묻는 문항이 포함되어야 한다. 110쪽에 제시된 교수목표 분류학이 단순한 파지를 넘어서 전이 평가를 위한 방법의 예제를 보여준다.

학습 결과의 평가에 대한 고찰: How Much? 또는 What Kind?

9

학습 결과를 측정하는 데 있어서, 아래 표에 요약된 것처럼 우리는 how-much의 접근법 또는 what-kind의 접근법을 활용할 수 있다. 얼마나 잘 배웠는지를 측정할 수 있는 가장 일반적인 접근법은 평가에서 정답 백분율이나 정답 수에 의해 보여주는 방식을 활용하여 얼마나 많이 학습되었는가에 초점을 맞추는 것이다. 이 접근법의 관점은 학습이란 빈 용기를 채우는 것과 같은 것으로 여겨지는 지식 습득 메타포(48쪽에 기술한 것과 같이)에 기반한다. 예를 들어 교육의 목적이 학습자들을 수행평가에서 일정한 수준에 도달할 수 있도록 돕는 것이라면 how-much 접근법이 적절할 수 있다. 반대로 what-kind의 접근법을 생각해 보면, 학습은 학습자의 지식 구조를 설명할 수 있어야 하는 것이다. 이 접근법은 학습을 지식 표상을 형성하는 것으로 여기는 지식 구성 메타포(48~50에 기술한 것과 같이)에 기반한다. What-kind 접근법은 학습자가 알고 있는 것에 대해 더 분명한 설명을 제공할 수 있기 때문에 교수과정을 관리하는 방법에 대한 보다 구체적인 정보를 전달해 줄 수 있다.

학습 결과의 평가를 위한 두 가지 접근법

접근법	설명	예
How much	얼마나 많이 학습하였는지를 결정	당신은 뺄셈 문제를 정확히 50% 해결하였다.
What kind	무엇을 학습하였는지를 결정	당신은 뺄셈 과정에서 작은 오류에서 비롯된 결과를 알 수 있다.

What-kind 접근법의 근거: 오류 분석에 대한 사례

Sal이라는 학생이 해결한 뺄셈 문제의 답안을 살펴보자.

$$54 - 33 = 21$$
$$63 - 29 = 46$$
$$67 - 15 = 52$$
$$65 - 16 = 51$$

만약에 우리가 how-much 접근법을 취한다면, 우리는 Sal이 50점을 받았다고 말할 것이다. 이 결과로만 보면, Sal은 더 많은 학습지도가 필요하지만, how-much 접근법은 우리에게 무엇을 더 가르쳐야 할지에 대한 구체적인 정보를 제공해 주지는 않는다. 반대로, 만약에 우리가 what-kind의 접근법을 이용한다면, 우리는 Sal의 뺄셈 과정이 Sealy Brown과 Richard Burton이 말하는 *더 큰 것으로부터 더 작은 것의 오류(smaller-from-larger bug)*, 즉 Sal이 단순히 각각의 행에 있는 숫자 중 더 큰 숫자에서 더 작은 숫자를 빼버렸다는 사실을 발견할 수 있을 것이다. 간단히 말해서, Sal은 완전히 잘못된 과정을 적용하고 있는 것으로 나타난 것이다. 만약에 우리가 어느 단계가 잘못되었는지 알 수 있다면, 우리는 Sal의 지식을 다시 바로잡아 줄 수 있는 맞춤식 교육을 설계할 수 있을 것이다. 이런 what-kind 접근법의 형태는 인간이 가지고 있는 지식 속의 특정한 오류를 정확하게 찾아내는 데 도움을 주기 때문에 오류 분석(*error analysis*)이라고 불린다.

What-kind 접근법의 근거: 다양한 수준의 사후 평가에 대한 사례

또 다른 예로서 우리가 공식을 사용해 정답을 산출하는 방법을 강조하는 연역적인 방법과 공식이 익숙한 개념과 어떻게 연관되어 있는지를 강조하는 귀납적인 방법을 이용해 이항식 확률 문제를 해결하는 방법을 가르친다고 가정해 보자. 사후 평가의 하나인 파지 평가에서 이항식 확률 문제의 답을 산출해 내는 데 있어서 연역적인 집단이 귀납적인 집단보다 더 나은 성과를 거두었다. 만약에 우리가 how-much 접근법을 이용해 오직 파지 평가만을 기반으로 하여 평가를 그만둔다면, 우리는 연역적인 집단이 귀납적인 집단보다 더 많은 것을 습득했다고 결론짓게 될 것이다. 그러나 필자와 James Greeno는 전이 평가 문항을 포함하여 집단 간 비교분석을 하였다. 예를 들어 그들이 해결될 수 없는 문제를 풀어야만 했던 문제를 제시하는 방식이었다. 연역적 집단은 귀납적 집단보다 파지 평가에서 더 나은 결과를 보인 반면, 귀납적 집단은 연역적 집단보다 전이 평가에서 보다 월등한 성적을 보여주었다. 우리가 파지와 전이 평가를 포함한 *다양한 수준의 사후 평가*를 실시하였을 때 우리는 한 집단이 또 다른 집단보다 더 많이 학습했다는 증거보다는 그 집단들이 구조적으로 다른 학습을 하였다는 근거를 발견할 수 있다. 그러므로 what-kind의 접근법을 시행하는 한 가지 방법은 아래의 표에서 보여주는 것처럼 다양한 수준의 사후 평가를 실행하는 것이다.

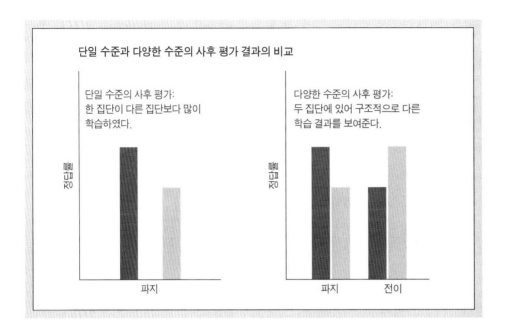

이상과 같이, 오류 분석법이나 다양한 수준의 사후 평가를 시행하는 것과 같은 what-kind 접근법의 근거는 학습자들이 무엇을 학습했는지에 대한 더 유용한 정보를 제공한다는 것이고, 그렇기 때문에 교수 수행을 위한 판단에 있어 유용한 정보가 될 수 있다.

IO. 평가의 영역 확장하기

지금까지, 우리는 주로 학습 결과에 대한 평가에 초점을 맞춰왔다. 하지만, 학습법을 적용하는 우리의 과제와 관련 있는 다른 평가 영역들이 있다. 아래의 표에 몇 가지 추가적인 평가 영역을 제시하였다.

평가를 위한 그 밖의 것

유형	자료	예시
인구통계학적 특성	조사, 기록	나이, 성별, 인종, 부모의 교육 수준
인지적 특성	조사, 평가, 관찰	학습 능력, 인지 능력, 학업 성취도
동기적 특성	조사, 관찰	동기적 목표, 학습에 대한 신념, 귀인
개인적 특성	조사, 관찰	개인적 성격
특정 과제 특성	조사, 평가, 관찰	흥미, 특정 과제에 대한 동기, 선수 지식
학습의 과정	조사, 관찰	전략, 노력, 활동, 자기점검

언제 교육적 방법이 효과가 있을지를 판단하기 위한 평가 영역 확장하기

우리는 실험 집단과 통제 집단의 학습 결과(실험 수행을 기반으로 한)를 비교함으로써 평가를 통한 학습 결과에 대한 평가는 "무엇이 효과적인가?"라는 것을 알아내는 데 유용함을 알게 되었다. 그러나 우리가 "그것이 언제 효과적인가?"(또는 "누구에게 효과적인가?")에 대한 질문에 답하고자 한다면, 학습자의 인구통계학, 인지, 동기, 개인적 특성, 특정 과제, 그리고 학습과정의 특성 등을 살펴보는 것은 큰 도움이 될 것이다.

평가는 인쇄물이나, 온라인 또는 학습자가 과제를 수행하거나, 문제를 풀고, 질문에 대답하는 것과 같은 구체적인 활동이다. 예를 들어, 여러분이 누군가의 연산에 대한 선수 지식을 평가하기 원한다면, 여러분은 그들에게 $55 \times 2 = \underline{\hspace{1cm}}$ 와 같은 60개의 연산 문제를 포함한 3분짜리 계산 문제를 제시할 수 있을 것이다.

관찰은 과제 수행 동안의 학습자 활동을 기록하는 것을 포함한다. 예를 들어 학습 능력을 측정하기 위해서 여러분이 학습자에게 온라인 수업을 제공하고 그들이 학습 내용을 익히기 위해서 얼마나 많이 도움 버튼을 눌렀는지를 기록할 수 있다. 배우고자 하는 그들의 동기를 측정하기 위해서 여러분은 그들에게 과제를 할 수 있는 기회를 주었을 때 그 과제를 지속적으로 수행하는지를 기록할 수 있다.

조사에는 학습자의 특성에 대한 정보를 요청하기 위해 사용되는 인쇄된 설문지, 온라인 설문지 또는 구술 면접 등이 있다. 예를 들어, 학습자의 나이나 성별과 같은 *인구통계학적인* 특성을 알아내기 위해서 학습자들에게 "여러분의 나이는:___"과 같은 정보를 제공하도록 요구한 조사(즉, 인쇄된 설문지 혹은 구술 면접)의 방법을 사용할 수 있다.

어떻게 교육적 방법이 효과가 있을지를 판단하기 위한 평가 영역 확장하기

학습 결과의 평가는 "무엇이 효과적인가?"(즉, 특정한 교수 방법이 학습 효과를 향상시키는가?)를 판단하는 데 유용하지만, 여러분은 또한 "어떻게 그것이 효과적인가?"(즉, 어떻게 하나의 특정한 교수 방법이 학습 효과를 향상시키는가?)를 알기를 원할지도 모른다. 이러한 상황에서 여러분은 학습 과정 동안 어떤 일이 발생하는지 알기 원하고, 그래서 학습하는 동안 학습자의 행동(예를 들어, 학습자가 파워포인트 발표 동안 얼마나 수업 태만의 행동을 하였는지, 강의 시간 동안 노트 정리를 잘 했는지, 또는 온라인 글쓰기 과제를 하는 동안 방문한 웹사이트의 유형 등)을 관찰하는 것은 도움이 된다. 그렇지 않으면, 학습자에게 회상하는 조사 혹은 인터뷰 등을 학습 후에 진술하게 하거나, 학습하는 동안 사고 구술 활동이나 조사를 통해 그들의 사고 과정을 묘사하도록 요청하는 것도 유용하다. 이런 정보를 통해, 여러분은 학습자들이 학습하는 동안 학습에 얼마나 인지적으로 개입하는가에 대한 정도와 같은 학습자의 인지과정을 추론할 수 있다.

예를 들어, Krista DeLeeuw와 필자는 멀티미디어 수업에서 학습하는 동안 학습자의 인지부하를 평가하기 위해 세 가지 방법(이차적인 과제, 학습하는 동안의 노력 평가 그리고 학습 후의 난이도 평가)으로 실험을 실시하였다. 이차적인 과제에서 한층 높은 수준의 인지 부하를 발생하게 하는 더 긴 반응 시간이 요구되는 실험인데 학습자로 하여금 컴퓨터 화면의 배경화면 색깔이 분홍색에서 검정색으로 바뀔 때 스페이스 바를 누르도록 했다. 그 수업 안의 다양한 점수를 매기게 하는 노력 평가에서 "매우 낮은 정신적 노력"에서 "매우 높은 정신적 노력"까지의 7점 척도에서 학습자의 정신적 노력에 대한 평가를 하도록 했다. 수업이 끝난 후 난이도 평가에서 학습자에게 "매우 쉬움"에서 "매우 어려움"까지 9점 척도에 따라 "얼마나 수업이 어려웠는지"를 평가하도록 하였다. 예를 들어, 아래의 설문지를 작성해 보라는 것이었다. 여러분은 정확한 평가를 내릴 수 있다고 생각하는가?

책의 이 부분을 읽는 데 있어서 여러분의 정신적 노력 수준을 표시하시오.

◯	◯	◯	◯	◯	◯	◯
매우 높은 정신적 노력	높은 정신적 노력	약간 높은 정신적 노력	중간 정도 정신적 노력	약간 낮은 정신적 노력	낮은 정신적 노력	매우 낮은 정신적 노력

평가 영역을 확장하는 유용한 평가 도구의 개발은 교육적 연구분야에 있어 주요 도전분야이다.

평가의 영역 확장하기에 대한 고찰: 적성처치 상호작용(ATI)

여러분이 어떤 한 가지 교수 방법(방법 A)으로 한 집단의 학습자들을 가르치고 또 다른 교수 방법(방법 B)으로 다른 집단의 학습자들을 가르친다고 가정한다면, 여러분은 각각의 집단 안에서 두 가지 유형의 다른 학습자(유형 1과 유형 2)를 갖게 되는 것이다. 아래의 그래프는 사후 평가의 수행에 따른 세 가지 유형을 보여준다.

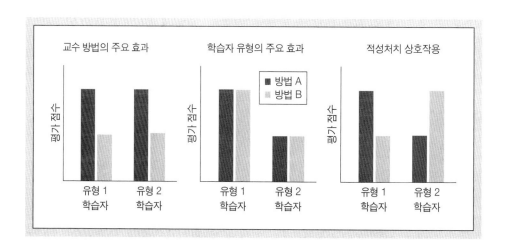

왼쪽 그래프에서 보이는 사후 평가 결과는 오직 교수 방법에 따른 주요 효과만을 보여준다. 즉, 학생들은 방법 B보다 방법 A에서 더 높은 성적을 받을 수 있었다는 것이다. 또한 중간 그래프에서 보이는 사후 평가 결과는 학습자의 유형에 따른 주요 효과만을 보여준다. 즉, 유형 1의 학습자 사후 평가 점수가 유형 2의 학습자 점수보다 더 높았다는 것이다. 마지막으로 오른쪽 그래프에서 보이는 사후 평가 결과는 상호작용 효과가 있음을 보여준다. 즉, 방법 A가 유형 1의 학습자에게 가장 효과적이고 방법 B는 유형 2의 학습자에게 보다 효과적이라는 것이다. 이것이 *적성처치 상호작용(attribute treatment interaction: ATI)*이라는 것이다. 왜냐하면 교수 방법의 효과가 학습자의 특성에 따라 달라지기 때문이다.

적성처지 상호작용은 교수 학습 방법의 효과가 학습자의 특성에 따라 다르게 발생한다. 엄밀하게 말해서 ATI는 아래의 오른쪽 그래프에서 보이는 것처럼 어떤 하나의 교수 방법이 어떤 학습자에게 더 좋을 때 그리고 다른 교수 방법이 또 다른 학습자에게 보다 더 효과적일 때 발생한다. 이런 유형을 *교차적 상호작용(disordinal interaction or interaction with crossover)*이라 한다. 좀 더 너그러운 관점에서 아래 왼쪽 그래프에서 보이는 것처럼 ATI는 어떤 교수 방법이 다른 유형의 학습자보다 어떤 한 유형의 학습자에게 더 효과적일 때 발생한다(예를 들어 방법 A와 방법 B 사이의 차이가 유형 1이 아닌 유형 2의 학습자에게 더 크다). 이런 유형을 *비교차적 상호작용(ordinal interaction or interaction without crossover)*이라 한다.

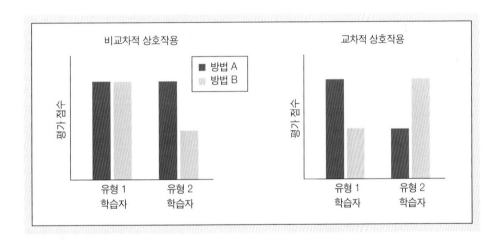

선수 지식을 포함하는 적성처치 상호작용 **12**

중요한 개인적 차이의 특성은 학습자의 선수 지식이다. 만약 여러분이 여러분의 학생에 대해 오직 한 가지 특성만을 안다면 여러분은 그들에게 가르치고자 하는 주제와 관련되어 그들이 이미 알고 있는 것을 알아내기를 원할 것이다. 예를 들어 여러분의 학생들이 자동차 브레이크가 어떻게 작동하는지에 대해서 인쇄된 글자와 그림으로 구성된 수업을 받는다고 가정해 보자. 여러분은 학생의 선수 지식을 측정하기 위해서 자동차의 작동원리와 관련된 내용들을 중심으로 학생들의 지식을 평가하는 조사(혹은 설문지)를 실시할 수 있다. 다음의 설문지를 완성해 보자.

자동차 작동원리에 대한 선수 지식 조사

여러분이 수행했던 내용에 표시해 주세요.

_____ 나는 운전 면허증을 가지고 있다.
_____ 나는 자동차 타이어에 공기를 주입해 봤다.
_____ 나는 자동차의 타이어를 교체해 봤다.
_____ 나는 자동차 오일을 교환해 봤다.
_____ 나는 자동차의 제동장치를 교체해 봤다.

자동차 작동원리와 수리에 있어 여러분이 생각하는 자신의 지식 수준에 표시해 주세요.

_____ 매우 많음
_____
_____ 평균
_____
_____ 매우 적음

조사 점수를 매기기 위해서 위의 첫 번째 평가 항목에 여러분이 표시한 문항에 각각 1점을 줄 수 있고, 두 번째 평가 항목에는 1점부터 5점까지 줄 수 있다(매우 저음에 1점과 매우 많음에 5점). 만약에 여러분이 중간치(일반적으로 4점)보다 더 높은 점수를 획득했다면 여러분은 선수 지식이 높은 것이고 만약에 중간치 이하의 점수를 받았

다면 선수 지식이 낮은 것으로 볼 수 있다.

우리가 선수 지식이 높고 낮은 학습자들에게 해당 그림 바로 옆에 글이 배치되어 있는 것과 같이 잘 설계된 수업자료 또는 글이 해당 그림과 분리되어 있는 것과 같이 형편없이 설계된 브레이크에 관한 수업자료를 읽도록 요구했다고 가정해 보자. 선수 지식이 낮은 학습자는 형편없이 설계된 수업자료보다 잘 설계된 수업자료를 제공받았을 때 사후 평가에서 더 높은 점수를 받는다고 가정해 보고, 반대로 선수 지식이 높은 학습자가 두 가지 모두의 교수 방법을 통해 점수를 잘 받았다고 가정해 보자.

아래의 왼쪽 그래프를 보면, 낮은 선수 지식의 학습자들이 잘 설계된 수업(방법 A)에서는 높은 점수를 받지만 형편없이 설계된 수업(방법 B)에서는 낮은 점수를 받고, 반면에 높은 선수 지식의 학습자는 두 가지 모두의 방법에서 높은 점수를 받았다. 한편, 아래의 오른쪽 그래프에 제시된 것처럼 교차적 상호작용이 있다고 가정해 보자. 낮은 선수 지식의 학습자는 형편없이 설계된 수업(방법 B)보다 잘 설계된 수업(방법 A)에서 더 높은 점수를 받은 반면, 높은 선수 지식의 학습자는 잘 설계된 수업보다 형편없이 설계된 수업에서 더 높은 점수를 받았다.

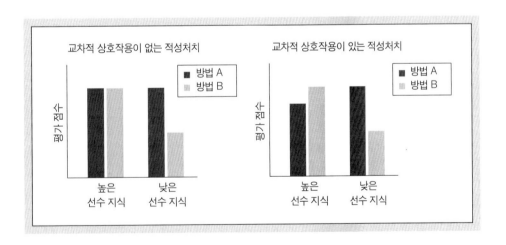

오른쪽의 유형은 Slava Kalyuga가 제시한 *지적 숙련 역전 효과(expertise reversal effect)*로서 낮은 선수 지식의 학습자들에게 더 효과적인 교수 방법이 높은 선수 지식 학습자들에게는 덜 효과적일 수 있다는 것을 보여준다. 지적 숙련 역전 효과를 뒷받침하는 몇 개의 연구 결과들이 있다. 일반적으로 낮은 선수 지식의 학습자들은 잘 구조화된 수업으로부터 학습 효과를 얻는 반면에 높은 선수 지식의 학습자들은 덜 구조화된 유형의 교수 방법으로부터 학습 효과를 얻는다. 중요한 교육적 함의는 교육적인 효과에 대한 경계 조건을 만들어 내는 것이다. 예를 들어 방법 A가 선수 지식이 낮은 학습자에게 가장 효과적인 것이라는 것과 같이 그 효과가 누구에게 더 강하게 작용할지를 알아내는 것과 관련되어 있다.

학습자의 여러 유형에 따라 각기 다른 교수 방법을 적용해야만 하는가? 이 질문은 여전히 다양한 의견이 존재하는 미결 안건이긴 하지만 중요한 연구 과제임은 분명한 것 같다. 예를 들어, Laura Massa와 필자는 수십 년간의 연구에도 불구하고 언어적 학습자(verbal learner)들은 언어로부터 더 잘 배우고 시각적 학습자(visual learner)들은 그림자료를 가지고 더 잘 학습할 수 있다는 주장을 뒷받침할 만한 충분한 증거가 여전히 없다는 것을 보여주었다. 간단히 말해, 최고로 잘 설계된 ATI가 선수 지식과 연결되어 효과적인 교수 방법들을 조사하는 데 있어서 그것들이 낮은 선수 지식의 학습자 또는 높은 선수 지식의 학습자들에게 보다 더 효과적인지 아닌지를 파악하는 것은 가치 있는 일이 된다.

13 평가가 제대로 이루어지지 않는 이유

시나리오 1: Mann 교수는 큰 강좌에서 Clickers(소형 원격 조종 장치)의 사용이 학습을 향상시켜 줄 수 있을 것이라고 생각한다. 그의 수업 한 부분에서 그는 Clickers를 사용하지 않았지만 다른 부분에서 그는 학생들에게 강의하는 동안 제기된 다양한 질문에 의사를 표명하기 위해서 Clickers를 사용할 것을 요청했다. 수업이 끝날 즈음에 그는 학생들에게 이 수업에 얼마만큼 만족하였는지를 평가하기 위한 설문지를 나눠준다. Clickers를 사용하지 않은 집단보다 Clickers를 사용한 집단의 학생들이 압도적으로 더 높은 평가를 내렸고, Mann 교수는 이러한 차이에 있어 Clickers의 사용이 가장 큰 성공 요인이라고 결론을 짓는다.

이 시나리오의 문제점은 무엇일까? 문제는 선호도와 학습은 같지 않다는 것이다. 비록 학생들이 어떤 교수 방법을 좋아할지는 몰라도, 그 교수 방법에 대한 그들의 선호도가 반드시 학습 결과의 향상으로 이어지지는 않는다는 것이다. 만약에 여러분의 교수 목표가 학습을 촉진시키는 것이라면 여러분은 학습 결과와 관련된 평가 기준을 포함시켜야 한다. 여러분은 어떤 교수 방법이 작용하는지에 대한 질문과 이에 대한 답을 하도록 돕기 위해 선호도의 기준을 사용할 수는 있으나, 그것이 효과적인지 아닌지를 밝혀내기 위한 것은 아니다.

시나리오 2: Manning 교사의 12학년 수학 수업에서 학생들은 이항식 확률 문제를 푸는 방법에 대해서 학습하였다. 학생들이 얼마나 잘 학습하고 있는지를 평가하기 위해 그녀는 학생들에게 얼마나 학습 내용을 잘 학습했는지를 표시하게 하는 평가 설문지 작성을 요청한다. 학생들은 압도적으로 학습 내용을 잘 이해한다고 평가함에 따라 Manning 교사는 자신의 가르침이 성공적이었다고 결론짓는다.

두 번째 시나리오의 문제는 무엇일까? 문제는 학생들이 그들 자신의 학습을 단언할 수 있는 자기 인식이 부족할 수 있다는 것이다. 그들은 열심히 공부하고 많은 것을 학습하고 있다고 생각할지도 모르지만, 그 때 사실은 전혀 많은 것을 학습하고 있지 않은 것이다. 필요한 것은 학생들에게 이항식 문제를 풀 수 있는지를 요청하는 것과 같은 학습 결과를 보다 타당하게 평가할 수 있는 방법이다.

> 시나리오 3: 연구자들은 2주간의 미국 역사 과정이 학생들의 미국 역사 지식을 향상시킬 수 있는지에 대한 연구에 흥미를 가지고 있다. 사전 평가에서 학생들은 미국 역사에 관한 몇 가지 짧은 글을 작성하는 질문에 답하도록 하였고, 사후 평가에서 학생들은 미국 역사에 관한 몇 가지 짧은 글을 작성하는 질문에 답하도록 요구된다. 그 연구자는 이 프로그램에 배치되었던 학생들(실험 집단)과 그렇지 않은 학생들(통제 집단)의 자질에 대한 해답을 얻기 위해 사전 평가와 사후 평가를 실시하였다.

전반적으로 세 번째 시나리오의 문제점은 사전 평가가 교육적 활동으로서의 학습 결과에 영향을 미칠 수 있다는 것이다. 사전 평가의 실시는 학생들의 학습을 도와줄 수 있다. 만약에 사전 평가의 교육적 효과가 강력하다면, 연구에서 사용된 교육적 처치의 효과를 없애 버릴 수 있다. 이것은 여러분의 평가 노력에 손상을 초래할 수 있지만, 만약에 당신의 목표가 학습을 촉진시키는 데 있다면 좋은 결과가 될 수 있다.

이러한 세 가지 평가방식이 잘 작동하지 않는 이유는 아래의 표에 요약되어 있다. 아래의 표를 보는 바와 같이, 평가를 위해서 당신이 의도한 것을 평가하되 가능한 한 과도하지 않은 평가 도구를 사용하는 것이 중요하다.

잘못된 평가의 세 가지 방식

설명	예
잘못된 변인을 측정하는 것	학습보다 선호도를 측정하는 것
잘못된 도구를 사용하는 것	수행 성과보다 학습에 대한 자기 평가에 초점을 맞추는 것
과도한 평가를 하는 것	학습 처치를 저해하는 사전 평가를 하는 것

참고문헌 및 추천할 만한 읽을거리

136~139쪽

Anderson, L. W., Krathwohl, D. R., Airasian, P. W., Cruikshank, K. A., Mayer, R. E., Pintrich, P. R., Raths, J., & Wittrock, M. C. (2001). *A taxonomy for learning, teaching, and assessing: A revision of Bloom's taxonomy of educational objectives*. New York: Longman.

학습, 교수, 그리고 평가영역에 있어 전문가들에 의해 작성된 학습과학에 기반한 교수목표 창출을 위한 이론적 틀

140~144쪽

American Educational Research Association, American Psychological Association, and National Council on Measurement in Education (1999).*Standards for educational and psychological testing*. Washington, DC: American Educational Research Association.

American Educational Research Association, American Psychological Association, 그리고 National Council on Measurement in Education에서 승인된 평가 설계 방법에 대한 분석

Pellegrino, J. W., Chudowsky, N., &Glaser, R. (Eds.). (2001). *Knowing what students know: The science and design of assessment*. Washington, DC: National Academy Press.

학습 평가 전문가들에 의해 작성되고, National Research Council에서 승인된 학습 결과 평가 방법에 대한 분석

145~151쪽

Schneider, B., Carnoy, M., Kilpatrick, J., Schmidt, W. H., &Shavelson, R. J. (2005). *Estimating causal effects: Using experimental and observational designs*. Washington, DC: American Educational Research Association.

학습이 일어나게 하는 교수 방법의 판단 방법에 대한 분석

152~157쪽

Cohen, J. (1998). *Statistical power analysis for the behavioral sciences* (2nd ed.). Hillsdale, NJ: Erlbaum.

효과 크기의 계산과 활용 방법에 대한 전통적 설명

Rosenthal, R., Rosnow, R. L., & Rubin, D. B. (2000).*Contrasts and effect sizes in the behavioral sciences*. New York: Cambridge University Press.

효과 크기를 측정하기 위한 훌륭한 자료

158~160쪽

Brown, J. S., & Burton, R. R. (1978). Diagnostic models for procedural bugs in basic arithmetic skills. *Cognitive Science, 2*, 155-192.
오차분석의 장점을 보여주는 전통적인 연구

Mayer, R. E., & Greeno, J. G. (1972). Structural differences between learning outcomes produced by different instructional methods. *Journal of Educational Psychology, 63*, 165-173.
다양한 수준에서 사후 평가의 장점을 보여주는 전통적인 연구

Wertheimer, M. (1959).*Productive thinking*. New York: Harper & Row.
게슈탈트 심리학자들이 설명하는 유의미 학습 향상 방법에 대한 전통적인 교재

161~162쪽

Deleeuw, K. E., & Mayer, R. E. (2008). A comparison of three measures of cognitive load: Evidence for separable measures of intrinsic, extraneous, and germane load. *Journal of Educational Psychology, 100*, 223-234.
학습하는 동안 인지부하를 다양하게 측정하여 비교한 연구

163~173쪽

Cronbach, L. J., & Snow, R. E. (1977). *Aptitudes and instructional methods*. New York: Irvington.
적성처치 상호작용 연구에 대한 개요

Kalyuga, S. (2005). Prior knowledge principle in multimedia learning. In R. E. Mayer(Ed.), *The Cambridge handbook of multimedia learning* (pp. 325-338). New York: Cambridge University Press.
지적 숙련 역전 효과(the expertise reversal effect) 연구에 대한 요약

Massa, L. J., & Mayer, R. E. (2006). Testing the ATI hypothesis: Should multimedia instruction accommodate verbalizer-visualizer cognitive style? *Learning and Individual Differences, 16*, 321-338.
적성처치 상호작용(ATIs)에 대한 실험 연구

174~175쪽

Johnson, C. I., & Mayer, R. E. (2009). A testing effect with multimedia learning, *Journal of Educational Psychology, 101*, 621-629.
교육적 환경에서 평가 효과(testing effect)를 적용하는 방법에 대한 사례

에필로그

교육에서 학습과학의 적용이라는 과제는 인간의 학습을 도와줄 수 있는 효과적인 교수 방법을 찾는 것과 같은 교육(education)과 어떻게 인간이 학습하는지를 정확하게 찾는 것과 같은 학습과학(learning science) 모두를 풍부하게 해줄 수 있다. 100년 이상 교육학자들은 학습과학으로써 학습이 어떻게 일어나는지에 대한 우리의 이해를 증진시키기 위한 목적으로 연구 근거와 근거기반 이론에 기초하여 실천적 교수 학습 방법을 추구하여 왔다. 유사하게 100년 이상 학습 과학자들은 실제 상황에서 효과적인 교수 방법을 개발하기 위한 목적으로 학습이 어떻게 일어나는지에 대한 실제적 이론의 개발을 추구하여 왔다. 학습과학의 적용에는 교육의 실천에 공헌하기 위한 적용적 목적과 학습 이론에 공헌하기 위한 기본적 연구 목적이라는 두 가지 목적이 중첩되어 있다. 연속선상의 양끝에 놓여진 것 같은 기본과 응용 연구라고 보기보다는 각각의 강점을 촉진시키기 위한 두 가지의 중층 목적으로 볼 필요가 있을 것이다. 간단히 말해, 학습과학의 적용은 활용을 염두에 둔 기초연구(used-inspired basic research)라 할 수 있을 것이다. 학습과학의 적용은 학습이 어떻게 일어나는지, 교수가 어떻게 일어나는지, 그리고 평가가 어떻게 이루어지는지에 대한 이해를 요구한다. 학습, 교수, 그리고 평가과학적 접근에 있어 우리의 목적은 개

인의 의견, 애매모호한 지식, 이념보다는 연구결과의 근거에 기반한 결과를 기본으로
한다.

학습과학(Science of Learning)

학습과학은 인간이 어떻게 학습하는지에 대한 과학적 연구를 의미한다. 이 연구에 있
어 도출된 세 가지 주요 원리는 첫째, 인간은 언어와 시각 정보를 처리하는 분리된 채
널을 가지고 있다는 것이고(이중 채널 원리: dual channels principle), 둘째, 인간은
한 번에 각각의 채널에서 작은 양의 정보만을 처리할 수 있다는 것이며(한정된 용량
원리: limited capacity principle), 마지막으로 유의미 학습은 학습자들이 학습하는
동안 최적의 인지 정보처리과정에 개입되었을 때 발생하게 된다는 것이다(능동적 정
보처리 원리: active processing principle). 학습은 감각기억, 작업기억, 장기기억으로
구성된 정보처리시스템에서 발생하고, 선택하기, 조직화하기, 통합하기라는 인지 정
보처리에 기반한다. 유의미 학습은 학습자가 감각기억으로 주입된 정보 중에 관련 정
보에 보다 선택적으로 주의집중하기(선택), 작업기억에서 일관된 표상으로 선택된 자
료 인지적으로 조직화하기(조직화), 장기기억의 다른 표상과 관련 선수 지식과 새로
운 자료 통합하기(통합)가 발생할 때 이루어진다. 또한 학습이 완전하기 위해서는 다
른 이론 즉, 동기, 메타인지, 개인차 등의 역할이 통합적으로 고려되어야 한다.

교수과학(Science of Instruction)

교수과학은 인간의 학습을 도와주기 위한 과학적 연구를 의미한다. 수업의 교수설계
는 명확하고 특별한 교수목표 즉, 학습자의 바람직한 지식의 구체적인 변화의 진술에
서부터 시작해야만 한다. 교수목표에서 다섯 가지의 지식 유형은 사실, 개념, 절차,
전략, 신념이며, 교수목표 달성을 위한 여섯 가지 인지 정보처리 유형은 기억하기, 이
해하기, 적용하기, 분석하기, 판단하기, 창조하기이다.

작업기억에서 한정된 정보처리 용량의 요구는 외생적 정보처리과정(예, 보통 형
편없는 교수 자료에 의해 야기되며, 교수목표 달성을 위해 지원되지 않는 정보처리과
정, 즉, 교수목표 달성에 방해되는 정보처리과정), 필수적 정보처리과정(예, 보통 학
습자의 본질적인 복잡성에 의해 야기되며, 필수적인 학습자료 제시를 목적으로 한 인

지 정보처리과정), 그리고 생성적 정보처리과정(예, 보통 학습하기 위한 학습자의 동기에 의해 야기되며, 제시된 학습자료의 깊은 이해를 목적으로 한 인지 정보처리과정)을 포함한다. 교수 설계자의 주요 도전적 과제는 외생적 정보처리과정을 최소화시키고, 필수적 정보처리과정을 관리하며, 생성적 정보처리과정을 촉진시킬 수 있는 학습자료를 창출하는 것이다. 교수과학은 이러한 도전에 기반하여 효과적인 교수설계를 구축하기 위한 방법의 근거기반 원리들을 산출하여 왔다.

평가과학(Science of Assessment)

평가과학은 인간이 무엇을 아는지를 판단하는 과학적 연구를 의미한다. 인간이 아는 것에 대한 평가는 학습자들의 수행으로 추론할 수 있다. 평가의 세 가지 기능은 학생들이 수업 전에 이미 알고 있는 것을 판단하기(사전 평가), 수업하는 동안 학생들이 학습하고 있다는 것을 판단하기(형성 평가), 그리고 수업 후에 학생들이 학습한 것을 확인하기(총괄 평가) 등이다. 교수 효과성에 대한 연구는 어느 교수 방법이 효과적인지(실험하기), 언제 그 교수 방법이 효과적인지(요인 실험하기), 어떻게 그 교수 방법이 효과적인지(관찰 및 면접하기)를 발견하는 것을 추구한다. 실험 비교 연구의 핵심적 특성은 실험 통제, 무작위 배치, 적절한 측정도구에 있다. 실험 비교 연구의 실제적 목적은 보다 다양한 상황에서 큰 효과크기를 창출하는 교수 방법을 확인하는 것이다. 유의미 학습의 결과는 좋은 기억과 좋은 전이 수행능력에 있으며, 반면 암기 학습의 결과는 좋은 기억과 낮은 전이 수행능력에 있다. 따라서 전이는 유의미 학습의 향상도가 학습의 목적일 때 그 학습 결과를 측정하기 위한 핵심 요인이 된다.

향후 연구방향(Future Directions)

이 책을 집필하는 데 있어 필자의 목적은 필자가 생각한 것, 학습이 어떻게 이루어지는지, 교수가 어떻게 이루어지는지, 평가가 어떻게 이루어지는지에 대해서 여러분과 공유하기 위한 것이다. 필자는 포함되어야 할 필수적인 내용을 주의 깊게 선택하고 이것을 가능한 한 간결하고 명확하게 진술하려고 노력했다. 이와 관련하여 필자는 이 책에서 인간의 발달, 사회적 맥락, 인지신경과학, 진화, 문화, 정책 등은 주요하게 다루지 않았다. 학습과학을 어떻게 적용할 것인가에 대한 완전한 이해는 이러한 내용들을 종합적으로 다루어 이해될 때 비로소 가능해지는 것이다. 교육에서 학습과학의 원리와 실천적 적용에 있어 성공의 핵심은 개인의 의견, 애매모호한 지식, 그리고 이념에 기초하기보다는 엄격한 과학적 연구결과로써 그 근거를 기반으로 하여야 한다는 것이다. 요컨대 이러한 과정의 일환으로 학습, 교수, 평가에 있어 과학적 접근을 하기 위하여 학습과학의 실천적 적용을 만들어 갈 수 있기를 기대한다.

감각 기억 제시된 것처럼 동일한 감각 형식 안에서 정보를 담고 있는 기억 저장고는 큰 수용력을 가지고 있으며 이는 아주 잠시 동안(즉, 1초 미만) 지속된다. 귀에 영향을 미치는 구어로 된 글들은 청각의 감각 기억 안에서 소리로 잠시 동안 유지되며 눈에 영향을 미치는 그림이나 인쇄된 자료들은 시각적 감각 기억 안에서 이미지로 잠시 동안 유지된다. 작동 기억, 장기 기억 참조.

강조하기 다양한 폰트 크기나 모양, 색깔, 밑줄 긋기, 플래시 등의 사용을 통해 특정 단어를 강조하는 것을 포함하는 선택 과정을 안내하기 위해 의도된 교수 기술. 목표, 사전 질문, 사후 질문, 선택, 신호 원리 참조.

개념 65라는 숫자에서 6은 십의 수를 가리키는 것을 아는 것. 분류체계, 도식, 모형, 또는 원리. 사실, 절차, 전략, 신념 참조.

개념적 지식 개념 참조.

개요 수업 초반에 내용의 목록 또는 수업 부분을 나열하는 것으로 서론 안에 포함된 문장을 말하는 것으로 조직하기의 과정을 이끌도록 의도된 교수 기술. 표제, 지시어, 도식 조직자, 조직, 신호 원리 참조.

개인화 원리 인간은 교수자가 격식을 차린 형식보다 대화적인 형식을 사용할 때 더 잘 학습한다는 데 있어서 생성적 정보처리과정을 촉진시키기 위한 근거 기반 원리. 멀티미디어 원리, 구체화 원리, 정착화 원리 참조.

객관식 평가 객관식 평가는 모든 채점자에 의해 같은 방식으로 점수가 매겨지는 것이다. 타당도 평가, 신뢰도 평가, 표준화 평가 참조.

검사-재검사 신뢰도 신뢰도의 형태로 두 가지의 평가 수행에 있어서의 상관관계를 말한다. 반분 신뢰도, 신뢰도 평가 참조.

공간 근접 원리 인간은 상응하는 인쇄된 글이나 그림이 화면이나 페이지에서부터 멀리 떨어진 것보다 가까이 있을 때 더 잘 학습한다는 것을 기초로 외생적 정보처리과정을 줄이기 위한 근거 기반 원리. 일관성 원리, 신호 원리, 동시 근접 원리, 기대 원리 참조.

공간 원리 인간은 하나의 긴 수업에서의 엄청난 연습보다는 몇몇의 짧은 수업에서 연습을 확장할 때 더 잘 학습한다는 것에 대한 실천적 연구를 위한 근거 기반 원리. 피드백 원리, 사례 원리, 안내된 발견 원리 참조.

관련 사례 원리 실천에 의해 이루어진 연구를 위한 근거에 기초한 원리로 사람들이 풀어야 할 문제 전에 효과가 입증된 사례들이 제시됐을 때 더 잘 학습한다는 것이다. 공간 원리, 피드백 원리, 안내된 발견 원리 참조.

관찰 분석 관찰 분석은 어떤 하나를 배우는 동안 학습자를 관찰하는 것과 학습자가 학습하는 동안 행했던 것에 관한 설문조사나 인터뷰를 수행하는 것이다. 관찰 분석은 교수 효과의 기저에 깔려 있는 메커니즘을 알아내는 데 있어서 (즉, 그것이 어떻게 효과적인지) 유용하다. 실험, 요인 실험 참조.

교과 영역 심리학 읽기, 쓰기, 수학, 과학 또는 역사와 같은 학교 교과를 어떻게 인간이 학습하는지에 대한 이론들. 일반 학습 이론, 미니 학습 모형 참조.

교수(instruction) 교수는 배움을 조성하기 위해 학습자의 학습환경을 조작하는 교수자의 행위이다. 교수는 학습자의 지식 변화를 유발하기 위한 의도를 가지고 학습자의 경험을 조작하는 것이다. 학습, 평가, 교수과학 참조.

교수과학 교수과학은 인간이 학습하도록 도와주는 방법에 관한 학문. 평가과학, 학습과학 참조.

교수 목표 교수 목표는 학습자의 지식에 있어서 의도된 변화를 구체적으로 명시하는 것이다. 그것은 (1) 무엇이 학습되고 (2) 그것이 어떻게 사용되며 (3) 학습자의 성과를 해석하는 방법에 대한 표현을 수반한다.

교수 방법 학습자의 환경을 조작하는 방식(그것은 학습자의 경험에 영향을 미치도록 의도된 것). 교수 참조.

교수 처치 교수 방법 참조.

교수 효과 특정한 교수 방법이 효과적인지 아닌지(즉 무엇이 효과적인지), 그 조건 아래에서 그것이 효과적인지(언제 그것이 효과적인지) 그리고 효과를 야기시키는 메커니즘(어떻게 그것이 효과적인지) 등을 결정하는 것.

교육 목표 "음표를 읽을 수 있는 능력"과 같이 교육과정 발달을 이끌기 위해 의도된 구체적 표현. 교수 목표, 전체 목표 참조.

교차적 상호작용 하나의 교수 방법이 다른 유형의 학습자보다 특정 학습자 유형에 보다 강력한 효과를 발휘할 때가 전형적인 예가 되며, 서로 교차하지 않는 두 변수 사이의 상호작용. 비교차적 상호작용 참조.

구체성 효과 인간이 추상적인 말("스타일"과 같은)보다 구체적인 말("나무"와 같은)을 더잘 기억할 수 있다는 것. 그림 우월성 효과, 이중채널 원리 참조 .

구체적 모형 유의미 학습을 향상시키기 위해 수업을 하는 동안에 친숙한 내용을 제시함으로써 통합 과정을 안내하기 위해 고안된 교수 기법. 구체적 선행 조직자, 통합, 구체화 원리참조.

구체적 선행 조직자 유의미 학습을 향상시키기 위해 수업 전에 친숙한 내용을 제시함으로써 통합 과정을 안내하기 위해 고안된 교수 기법. 구체적 모형, 통합, 구체화 원리 참조.

구체화 원리 낯선 내용이 친숙한 지식과 관련 있을 때 인간이 더 잘 학습한다는 생성 과정을 발전시키는 것에 대한 근거에 기반된 원리. 멀티미디어 원리, 개인화 원리, 정착 원리 참조.

그림 우월성 효과 어떤 항목이 글보다 그림으로서 제시되었을 때 그 항목이 더 잘 기억된다는 결과. 구체화 효과, 이중채널 원리 참조.

근거 기반 실천 교수 원리는 평가될 수 있고 엄격한 조사 결과에 의해 뒷받침되어야 한다는 생각. 근거 기반 학습 이론 참조.

근거 기반 학습 이론 학습 이론은 평가될 수 있고 근거에 기반을 두어야 한다는 생각. 학습과학, 근거 기반 실천 참조.

근전이 문제 새로운 상황에서 학습한 원리와 방법을 적용하도록 요구되는 새로운 문제를해결하는 것. 파지 문제, 원전이 문제 참조.

기대 원리 인간이 미리 수업 후에 받게 될 평가의 유형을 보게 됐을 때 보다 더 잘 배운다는 것에 있어서 관련 없는 학습과정을 감소하기 위한 근거 기반 원리. 일관성 원리, 신호 원리, 공간 근접 원리, 동시 근접 원리 참조.

기억 "이항식 확률에 대한 공식을 말하라"와 같이 장기 기억으로부터 지식을 재인시키는것을 포함한 교수 목표. 이해, 적용, 분석, 평가, 창조 참조.

기억 범위 순서대로 목록을 기억해내도록 했을 때 인간이 기억하는 범위는 인간이 오류 없이 순서대로 기억해낼 수 있는 가장 긴 목록이다. 주의 지속 범위, 기억 범위 효과, 신비의숫자 7 참조.

기억 범위 효과 인간이 기억 범위 과제에서 최대 7개의 정보 모음을 기억해낼 수 있다는 결과. 기억 범위, 신비의 숫자 7 참조.

기초 연구 이론에 기여하도록 고안된 연구(예: 학습과학). 응용 연구 참조.

능동적 정보처리과정 원리 학습과학으로부터의 원리는 학습하는 동안 학습자가 적절한 인지 과정에 참여했을 때 유의미 학습이 발생하는 것을 말한다. (예를 들어 관련 자료에 주의를 기울이고, 그것을 논리 정연한 표현으로 조직하고 적절한 사전 지식과 통합시키는 것과 같은 것). 이중채널원리, 한정된 용량 원리, 선택, 조직, 통합 참조.

능동적 학습 학습하는 동안 학습자의 행동 수준보다는 학습자의 인지 활동 수준을 말한다. 선택, 조직, 통합 참조.

다양한 유형의 사후 평가 효과 측정 평가를 통해 각각의 학습자의 수행 유형을 비교하기 위해 파지 평가에서부터 전이 평가를 아우르는 사후 평가를 집행하는 것.

도식(graphic) 조직자 주요 개념을 공간적 구성으로 보여주는 행렬, 체계 또는 네트워크 등을 포함하는 조직 과정을 설명해주도록 마련된 교수 기술. 개요, 표제, 지시어, 조직, 신호 원리 참조.

동시 근접 원리 상응하는 구어로 된 글과 그림이 순차적인 것보다 동시에 제시되었을 때 인간은 더 잘 학습한다는 것에 있어 외생적 정보처리과정을 감소시키기 위한 증거 기반 원리. 일관성 원리, 신호 원리, 공간 근접 원리, 기대 원리 참조.

동화 존재하는 기존의 지식 구조 안에 들어오는 새로운 정보를 맞게 변화시키는 것. 능동적 학습, 통합 참조.

막다른 길 응용연구자들에 의해 무시되는 부자연스러운 학습 상황에 근거해 학습 이론을 만드는 기초연구자들과 기초연구자들에 의해 무시되는 정당화되지 않은 교육적 원칙들을 만들어내는 것들에 있어서의 학습과학과 교수과학 사이의 관계에 대한 관점. 양방향 길, 일방향 길 참조.

망각 곡선 시험 성적처럼 (보통 그래프의 가로축에 있는) 학습을 시작한 시간의 양과 (보통 그래프의 세로축에 있는) 학습 결과의 양 사이의 양적인 기능의 관계. 학습곡선 참조.

멀티미디어 원리 인간이 단지 글만 나타난 것보다는 글과 그림이 함께 나타난 것으로부터 더 잘 학습한다는 생성적 정보처리과정을 촉진시키기 위한 근거 기반 원리. 개인화 원리, 구체화 원리, 정착 원리 참조.

멀티미디어 학습의 인지 이론 Richard E. Mayer에 의해 제기된 학습 이론으로 이중채널 원리, 한정된 용량 원리, 그리고 능동적 학습 원리에 기반한다. 이 이론에 따르면, 유의미 학습은 학습자들이 제시된 내용으로부터 관련된 단어와 관련된 그림을 선택하고 인지적으로 선택된 단어를 단어의 형태로 조직하고 선택된 이미지를 작동 기억 안에 그림의 형태로 조직하며, 그 모형들을 서로 연결하고 장기 기억으로부터 나온 관련 지식과 통합할 때 발생한다. 이중채널 원리, 한정된 용량 원리, 능동적 학습, 감각 기억, 작동 기억, 장기 기억 참조.

모사(replication) 모사는 다양한 수업의 내용과 학습자의 유형 또는 학습 장소와 함께 반복적으로 동일한 실험적 비교를 수행하는 것으로 간주된다. 모사는 교육적 효과가 원래의 실험을 넘어 어느 정도까지 일반화할 수 있는지를 알아내는 데 있어 유용하다. 실험 참조.

목적 학습자가 수업으로부터 배워야 하는 것의 표현을 포함하는 것으로 선택의 과정을 이끌도록 의도된 교수 기술. 사전 질문, 사후 질문, 강조, 선택, 기대 원리 참조.

무 학습 매우 낮은 기억력과 전이 평가에 의해 나타난 학습 결과. 유의미 학습, 암기 학습, 파지 평가, 전이 평가 참조.

무작위 선별 통제 실험 실험 참조.

미니 학습모형 특정한 실험 과제에 적용하는 학습 이론. 교과영역 심리학, 일반 학습 이론 참조.

밀러(Miller)의 신비의 숫자 7 신비의 숫자 7 참조.

바틀렛(Barlett)의 동화 동화 참조.

반분 신뢰도 평가를 이등분한 것 간의 상관관계를 말하는 신뢰도의 형태. 평가-재평가 신뢰도, 신뢰도 평가 참조.

반응 강화 자극(예를 들어 "2 더하기 2는 무엇인가?")과 반응(예를 들어 "4") 사이의 결합을 강화시키거나 약화시키는 것으로서 어떻게 학습이 작용하는지에 대한 관점. 이 관점에 따르면 학습자는 보상과 벌에 대한 수동적인 수요자이고 교사는 보상과 벌에 대한 공급자이다. 정보 획득, 지식 구성 참조.

발견 학습 발견 학습은 학습자가 어려운 문제나 과제 또는 프로젝트 등을 스스로 해결하도록 주어졌을 때 발생한다. 협력 학습 참조.

백분위 점수 시험점수를 시험점수 아래에 있는 점수의 백분율을 나타내는 수로 변환시키는 것을 포함한 표준화한 형태. 표준 점수, 표준화 평가 참조.

부적 전이 사전 학습이 새로운 학습과 수행에 해를 끼치는 상황. 정적 전이, 중립 전이 참조.

분석 개연성 단어 문제 해결에 있어서 관련 있는 것과 관련 없는 숫자들을 구별하는 것처럼 내용을 그것의 구성요소 부분으로 나누고 어떻게 그 부분들이 또 다른 것과 관련을 짓고 있는지 전반적인 구조 또는 목적과 관련을 맺는지를 포함한 교수 목표. 기억, 이해, 적용 평가, 창조 참조.

분절 원리 인간은 복잡한 수업이 처리할 수 있는 범위 안에서 제시되었을 때 더 잘 학습할 수 있다 것에 있어 필수 정보처리과정을 관리하기 위한 근거 기반 원리. 사전 훈련 원리, 양식 원리 참조.

비교차적 상호작용 어떤 한 가지 지도 방법이 어떤 학습자에게 더 효과적이고 또 다른 지도 방법은 또 다른 학습자들에게 더 효과적일 때 입증된 것처럼 선들이 교차하는 두 가지 변수 사이에서 상호 작용. 교차적 상호작용 참조.

사고방식의 지식 신념 참조.

사실 "보스턴은 매사추세츠에 있다"로 알고 있는 것처럼 사실에 근거한 지식. 개념, 절차, 전략, 신념 참조.

사실적 지식 사실 참조.

사전 질문 학습자가 해답을 얻기 위해 수업 전에 삽입된 질문을 포함하는 것으로서 선택하기의 과정을 안내하기 위해 의도된 교수 기법. 목표, 사후 질문, 강조, 선택, 질문 원리 참조.

사전 평가 적합한 교수를 계획하기 위해 학습자들의 특성을 파악하기 위해 의도된 교육활동으로써 교수 이전에 실행되는 평가. 형성 평가, 총괄 평가 참조.

사전 훈련 원리 인간은 주요 개념에 대한 특징과 명칭에 있어서 사전 훈련을 받았을 때 복잡한 수업을 더 잘 학습할 수 있도록 필수적 정보처리과정을 관리하는 것에 대한 근거 기반 원리. 분절 원리, 양식 원리 참조.

사후 질문 수업 후에 해답을 얻으려는 학습자를 위해 삽입된 질문을 포함하는 것으로서 선택하기의 과정을 안내하도록 의도된 교수 기술. 목표, 사전 질문, 강조하기, 선택, 질문 원리 참조.

상태 의존 학습 만약에 시험 상황이 학습 상황과 비슷할 때 인간은 단어 목록을 더 잘 기억한다는 결과.

생성적 비활용화(generative underutilization) 학습자가 생성적 정보처리과정에 충분히 참여할 능력이 있지만 그렇게 하지 않는 것을 선택하는 학습 시나리오. 생성적 비활용화의 문제를 다루기 위한 중요한 목표는 생성적 정보처리과정을 촉진시키는 것이다. 필수적 과부하, 외생적 과부하 참조.

생성적 정보처리과정 학습자가 문장을 요약하는 과정과 같이 학습하는 동안에 제시된 학습 내용을 이해하기 위해 요구되는 깊은 인지 정보처리과정. 외생적 정보처리과정, 필수적 정보처리과정 참조.

생성적 학습 이론 메를린 위트록(Merlin C. Wittrock)의 학습 이론으로 인간이 학습하는 동안 적절한 인지 과정을 준비시키는 학습전략에 참여했을 때 더 깊게 학습할 수 있다고 제안하였다. 능동적 학습 참조.

생성적 효과 간략한 문장을 생성시키는 것처럼 인간이 학습하는 동안 생성 활동에 참여했을 때 더 잘 학습할 수 있다는 결과. 능동적 학습 참조.

선택(selecting) 학습자들이 제시된 학습 내용으로부터 관련 있는 글과 그림에 집중한다는 데 있어서 유의미 학습이 요구되는 인지적 과정. 선택은 감각 기억에서 작동 기억으로의 정보의 전이를 포함하고 감각 기억에서 작동 기억으로 옮겨지는 화살표로서 표현된다. 조직, 통합 참조.

손다이크(Thorndike)의 효과 법칙 효과 법칙 참조.

수평화(leveling) 기억하는 동안 제시된 내용으로부터 특정한 세부 사항을 망각하고 왜곡하는 것. 첨예화, 합리화 참조.

순서 목록 학습 학습자들이 한 주의 요일과 알파벳의 글자를 암기하는 것처럼 차례로 한 단어를 받고 그것들을 제시된 순서대로 기억해낼 것을 요청받는 학습 과제. 자유 회상 목록 학습, 쌍연상 학습 참조.

신념 "나는 통계학에 능숙하지 못해."라는 생각과 같은 학습에 대한 사고. 사실, 개념, 절차, 전략 참조.

신뢰도 평가 신뢰도 평가는 동일한 상황 아래에서 항상 같은 점수를 매기는 것이다. 타당도 평가, 객관식 평가, 표준화 평가 참조.

신비의 숫자 7 인간은 한 번에 최대 7개 정보 모음을 기억하고 주의를 기울일 수 있다는 결과. 한정된 용량 원리 참조.

신호 원리 인간은 수업의 조직이 강조될 때 더 잘 학습할 수 있다는 점에서 불필요한 과정을 줄이고자 하는 증거 기반 원리. 일관성 원리, 공간 근접 원리, 동시 근접 원리, 기대 원리 참조.

실험 실험은 실험집단과 통제집단 사이에서의 비교 활동을 포함하는데 그 그룹들은 교육적인 조작(즉, 실험적 통제)을 제외하고 동일한 처치를 받는다. 그리고 학습자들은 무작위로 집단에 배치되며(즉, 무선 배치) 학습자는 관련 있는 학습 처치(즉, 적절한 대책)에 관한 실험을 받게 된다. 실험은 학습 결과에 대한 교수 방법의 인과관계의 효과를 결정하는 데 (즉, 무엇이 효과적인지를 밝혀내는 것) 있어서 유용하다. 요인 실험, 관찰 분석 참조.

실험 비교 실험 참조.

쌍방향 길 학습과학과 교수과학 간의 관계에 대한 관점으로 연구자들은 학습 이론을 실제적 학습 상황에서 실험하며(그러므로 학습과학에 기여하는) 이론에 기반을 둔 교육적 원리들을 실험한다(그러므로 교수과학에 기여하는). 막다른 길, 일방향 길 참조.

쌍연상 학습 외국어 단어를 학습하는 것과 같이 학습자는 한 번에 한 쌍의 단어를 받고 첫 번째 단어와 함께 시작하라는 신호가 주어졌을 때 각 쌍 안에서 두 번째 단어를 기억해내도록 요청받는 학습 과제. 자유 회상 목록 학습, 순서 목록 학습 참조.

안내된 발견 원리 인간이 과제를 수행함에 따라 사례를 보여주는 것이나 코칭하는 것 그리고 발판을 마련해주는 것과 같이 그들이 안내를 받았을 때 학습을 더 잘 한다는 실천적 연구에 의한 근거 기반 원리.

암기 학습 좋은 기억력 평가 성적과 형편없는 전이 평가 성적에 의해 나타나는 학습 결과. 유의미 학습, 무 학습, 파지 평가, 전이 평가 참조.

양식 원리 단어가 인쇄되는 것보다 말로 이루어졌을 때 멀티미디어 수업으로부터 인간이 더 잘 학습한다는 핵심 과정 관리를 위한 근거를 기초로 한 원리. 분절 원리, 사전 훈련 원리 참조.

에빙하우스(Ebbinghsud)의 학습 곡선 학습 곡선 참조.

예언 타당도 알려진 측정기준과 평가 점수 사이의 관련성을 포함한 타당성의 형태. 타당성 평가 참조.

오류 분석 학습자가 조직적으로 잘못된 절차를 적용하고 있는지 아닌지를 판단하기 위한 문제들에 있어 각각의 학습자 개개인의 오류 패턴을 조사하는 것 .

외생적 과부하 학습자가 외생적 정보처리과정, 필수적 정보처리과정, 그리고 생성적 정보처리과정에 개입되는 것이 요구되지만, 적은 양의 필수적 정보처리과정이나 외생적 정보처리과정을 지원해줄 수 있는 충분한 인지 능력을 가지고 있다는 학습 시나리오. 이런 외생적 과부하의 문제를 처리하기 위한 중요한 교수 목적은 외생적 정보처리과정을 감소시키는 것이다. 필수적 과부하, 생성적 활용 참조.

외생적 정보처리과정 형편없이 설계된 교수학습 자료에 의해 야기되며, 수업의 목적을 지원하지 않는 학습 활동을 하는 동안에 이루어지는 인지 정보처리과정. 필수적 정보처리과정, 생성적 정보처리과정 참조.

요인 실험 요인 실험은 학습자, 학습 내용 또는 학습 환경의 형태와 같은 하나 이상의 여러 가지 요인뿐만 아니라 실험 집단과 통제 집단 사이의 비교를 포함하는 것이다. 요인 실험은 교수 효과에 대한 경계 조건을 결정하는 데 유용하다. 즉 그것들이 어떤 학습자 유형이나, 학습 내용과 학습 맥락(즉, 그것이 언제 효과적일지 결정하는 것) 등에 가장 효과적일지 아닐지에 관한 것이다. 실험, 관찰 분석 참조.

원전이 문제 새로운 상황에서 새로운 원리와 방법을 적용하도록 요구하는 새로운 문제를 해결하는 것. 파지 문제, 근전이 문제 참조.

위트록(Wittrock)의 생성적 효과 생성적 효과 참조.

유의미 학습 좋은 파지 및 전이 검사에 의해 제시된 학습 결과. 암기 학습, 무 학습, 파지 평가, 전이 평가 참조.

유형 1 오류 효과가 없음에도 불구하고 효과가 있다고 결론짓는 것. 예를 들어 $p < .05$는 유형 1 오류를 범할 확률이 5%로 이내라는 것을 의미한다. 유형 2 오류 참조.

유형 2 오류 효과가 있음에도 불구하고 효과가 없다고 결론짓는 것. 예를 들어 $p < .05$는 유형 2 오류를 나타내지 않지만 유형 2 오류의 가능성이 5%보다 훨씬 클지도 모른다. 유형 1 오류 참조.

응용 연구 실천에 기여할 수 있도록 고안된 연구(예, 교수과학). 기초 연구 참조.

응용문제기반 기초 연구 이론과 실천에 기여하도록 고안된 연구(예: 학습과학과 교수과학 두 가지 모두), 파스퇴르(Pasteur)의 사분면이라고도 한다. 활용기반 기초 연구 참조.

이중채널 원리 인간은 언어와 시각적 자료를 처리하는 데 있어서 분리된 채널을 가지고 있다고 명시하는 학습과학으로부터 나온 원리. 한정된 용량 원리, 능동적 정보처리과정 원리 참조.

이해 교수 목적으로 "너만의 방식으로 이항식 확률에 대한 공식을 고쳐 말해라"와 같은 교수 메시지로부터 의미를 구성해 나가는 것을 말한다. 기억, 적용, 분석, 평가, 창조 참조.

인구 통계학 특성 보통 설문조사나 기록을 통해 알려진 학습자의 나이, 성별, 인종 또는 부모의 교육 수준에 대한 기본 정보.

일관성 원리 수업에서 주제와 관련 없는 내용이 배제되었을 때 인간이 더 잘 학습한다는 점에서 불필요한 과정을 줄이기 위한 근거에 기반한 원리. 신호 원리, 공간 근접 원리, 동시 근접 원리, 기대 원리 참조.

일반 전이 학습 과제와 전이 학습 사이에는 어떤 특정한 공통점이 없다는 전이. 전이, 혼합 전이, 특수 전이 참조.

일반 학습 이론 모든 학습 상황에 걸쳐 적용되는 학습 이론. 교과영역 심리학, 미니 학습모형 참조.

일방향 길 기초 연구자들이 학습과학을 만들어내고 실천자가 그것을 적용한다는 관점으로 학습과학과 교수과학과의 관계에 대한 관점. 막다른 길, 양방향 길 참조.

자기 설명 원리 인간이 학습하는 동안 그들 자신에게 수업을 설명할 때 더 잘 학습할 수 있다는 것을 발전시킴으로써 연구하는 것에 대한 증거 기반 원리. 평가 원리, 질문 원리, 정교화 원리 참조.

자유 회상 군집 인간은 제시 순서에도 불구하고 카테고리(예를 들어 가구, 신체의 각 부분, 직업 등)에 따라 목록 안에서 단어들을 회상하려는 특성.

자유 회상 목록 학습 미국에 있는 50개 주를 학습하는 것처럼 학습자들이 한 번에 하나씩의 단어를 받고, 이를 어떤 순서에 따라 기억해내도록 요구받는 학습 과제. 순서 목록 학습, 쌍연상 학습 참조.

작업 기억 체계화된 형식에서 정보를 보유하는 기억 저장고는 한정된 용량을 가지고 있으며 활발하게 처리되지 않는 이상 짧은 시간(1분 이내) 동안 지속한다. 감각 기억, 장기 기억, 한정된 용량 원리 참조.

장기 기억 조직화된 방식으로 기억된 정보는 큰 용량을 가지고 있으며, 오랜 기간 동안(수 년간) 지속된다. 감각 기억, 작업 기억 참조.

적성처치 상호작용(ATI) ATI는 어떤 교수 방법이 어느 한 유형의 학습자에게 더 효과적이고 또 다른 교수 방법은 또 다른 유형의 학습자에게 더 효과적인 것과 같이 학습자의 특성에 따라 교육적 처치 효과가 달라질 때 발생한다.

적용 주어진 N, r과 p에 대한 이항식 확률의 값을 산출하는 것과 같이 어떤 상황에서 절차를 이용하고 수행하는 활동을 포함한 교수 목표. 기억, 이해, 적용 평가, 창조 참조.

전략 문제를 부분으로 분해하는 방법을 아는 것과 같은 일반적인 방법. 사실, 개념, 절차, 신념 참조.

전략적 지식 전략 참조.

전이 전이는 새로운 학습과 수행에 있어서의 사전 학습의 효과이다. 정적 전이, 부적 전이, 중립 전이, 일반 전이, 특수 전이, 혼합 전이 참조.

전이 평가 학습자들이 새로운 상황에서 학습한 내용을 얼마나 잘 사용하고 평가할 수 있는지를 측정하는 평가. 파지 평가, 전이 참조.

전체목표 "모든 학생은 책임감 있는 시민이 되기 위해 학습할 것이다"와 같이 교육 전문 가들을 위한 비전을 제공하기 위해 마련된 일반적 진술. 교수 목표, 교육 목표 참조.

절차 252×12를 산출해내는 방법을 아는 것과 같은 단계별 과정. 사실, 개념, 전략, 신념 참조.

절차적 지식 절차 참조.

점진적 억제에서의 해제 인간의 기억 수행은 같은 범주에서부터 획득된 단어 목록에 대해서는 감소하지만 그것들이 새로운 범주로부터 단어 목록이 변환될 때 회복된다는 결과.

정교화 원리 인간이 제시된 학습 자료를 통해 개요를 짜고 요약하며 정교하게 만들어갈 때 더 잘 배울 수 있다는 것을 생성해내는 연구를 위한 근거 기반 원리. 평가 원리, 자기 설명 원리, 질문 원리 참조.

정보처리 수준 인간이 학습하는 동안 단어의 깊은 정보처리과정에 개입한다면 인간은 단어를 더 잘 기억할 수 있다는 결과.

정보 획득 어떻게 학습이 이루어지는가에 대한 관점으로 학습은 제시된 정보(예를 들어 "학습에 대한 세 가지 비유는 반응 보강, 정보 획득 그리고 지식 구성하는 것이다")를 학습자의 기억 속에 덧붙이는 활동을 포함한다. 이런 관점에 따르면, 학습자는 수동적인 정보 수취인이고 교사는 정보 제공자이다. 지식 획득 참조.

정적 전이 사전 학습이 새로운 학습과 수행을 향상시킨다는 상황. 부정적 전이, 중립 전이 참조.

정착 원리 내용이 친숙한 상황의 문맥에서 제시되었을 때 인간이 더 잘 학습할 수 있는 생성 과정을 발전시키기 위한 근거에 기초한 원리. 멀티미디어 원리, 개인화 원리, 구체화 원리 참조.

조직 학습자가 일관성 있는 정신표상체계 안으로 선택된 글과 그림을 조직하는 것과 같은 유의미 학습을 위해 요구되는 인지적 과정. 조직하기는 작업 기억에서 정보를 조작하고 작업 기억에서 작업 기억으로 화살표 되는 것과 같이 나타내어진다. 선택, 통합 참조.

주의 지속 범위 물체들의 선택이 주어졌을 때, 예측이나 추측하지 않고 직접적으로 감지할 수 있는 물체의 최대 수이다. 기억 범위, 신비의 숫자 7 참조.

중립 진이 사선 학습이 새로운 학습과 수행에 전혀 영향을 미치지 않는 상황. 정적 전이, 부적 전이 참조.

지시어 "첫째, 둘째, 셋째" 또는 "반대로" 또는 "결과로서"와 같은 말을 포함함으로써 조직화하는 과정을 안내하도록 의도된 교수 기술. 개요, 표제, 도식 조직자, 조직, 신호 원리 참조.

지식 구성 학습은 학습자가 추론할 수 있는 정신적 표상을 형성(어떻게 학습이 작용하는지에 대한 정신적 사례)하는 것을 포함하고 있는 것으로서 학습이 어떻게 이루어지는지에 대한 관점을 의미한다. 이런 관점에 따르면, 학습자는 능동적인 감각 생산자이고 교사는 인지 안내자이다. 반응 강화, 정보 획득 참조.

지적 숙련 역전 효과 적은 지식을 가지고 있는 학습자들에게 효과적인 교육 방법이 높은 지식 수준의 학습자들에게는 효과적이지 않거나 오히려 해롭다는 선수 지식을 포함한 적성처치 상호작용. 적성처치 상호작용 참조.

질문 원리 인간이 학습하는 동안 심도 있는 질문을 묻고 답해야 할 때 더 잘 학습한다는 것을 발전시킴으로써 연구하는 것에 대한 근거 기반 원리. 평가 원리, 자기 설명 원리, 정교화 원리 참조.

참조 해석할 수 있는 평가점수를 생성해내는 방법. 타당도, 신뢰도, 객관성 참조.

창조 기본원리를 논리적이거나 실용적인 완전체를 형성하기 위해 조립하고 기본원리를 이항식확률의 발견에 대한 글쓰기를 계획하는 것과 같이 새로운 형태나 구조로 재편성하는 활동을 포함한 교수 목표. 기억, 이해, 적용, 분석, 평가 참조.

첨예화 기억하는 동안 제시된 학습 내용으로부터 어떤 중대한 특징을 정교화하는 것. 수평화, 합리화 참조.

총괄 평가 교수 후에 행해지는 평가로서 학생의 학업을 기록함으로써 학생 성적에 대한 책임을 제공하기 위해 만들어지거나 또는 프로그램 수정에 대한 투입을 제공하기 위해 고안된 것이다. 사전 평가, 형성 평가 참조.

타당성 평가 타당성 평가는 측정하고자 하는 내용을 제대로 측정하고 있는가를 평가하는 것이다. 신뢰도 평가, 객관식 평가, 표준화 평가 참조.

통계력 통계력 분석은 적절하게 실험적 비교를 수행하기 위해 요구되는 참여자의 수를 결정한다. 실험 참조.

통합 유의미 학습이 요구되는 인지적인 과정에 있어서 학습자가 말과 그림이 포함된 표현들을 서로서로 연결하고 장기 기억으로부터 활성화된 예비 지식을 연결하는 것이다. 통합은 지식을 장기 기억으로부터 작업 기억으로 이동시키는 것을 말하며 장기 기억에서 작업 기억으로의 화살표로 나타낸다. 선택, 조직 참조.

특수 전이 학습 과제에서 전이 과제로부터의 구체적 행동이나 사실 또는 절차의 전이. 전이, 일반 전이, 혼합 전이 참조.

파스퇴르(Pasteur)의 사분면 이론과 실천에 기여하도록 만들어진 연구. 응용문제기반 기초 연구, 활용기반 기초 연구 참조.

파이비오(Paivio)의 구체성 효과 구체성 효과 참조.

파지 문제 수업에서 문제들과 동일하거나 매우 비슷한 문제를 해결하는 것. 근전이 문제, 원전이 문제 참조.

파지 평가 학습자들이 얼마나 많이 기억하는지를 측정하는 평가. 전이 평가 참조.

판단(evaluate) 개연성 단어 문제를 해결하기 위한 두 가지 방법 중 어느 방법이 최선인지를 판단하는 것처럼 어떤 준거나 기준에 근거해 의사 결정 또는 판단하는 활동을 포함한 교수 목표. 기억, 이해, 적용, 분석, 창조 참조.

평가(assessment) 평가는 학습자가 무엇을 배웠는지(즉, 결과를 밝히는 것), 학습자가 내용을 배운 방식(즉, 학습 과정) 또는 학습과 관련된 학습자의 특성을 알아내는 활동. 학습, 교수, 평가과학 참조.

평가과학 평가과학은 인간이 알고 있는 것을 밝혀내는 방법에 관한 과학적 학문. 교수과학, 학습과학 참조.

평가 원리 인간은 다시 학습하는 것보다 연습 문제를 푸는 것으로부터 더 잘 학습한다는 것에 있어서 발전시켜 연구하기 위한 근거 기반 원리. 자기 설명 원리, 질문 원리, 정교화 원리 참조.

평가자간 신뢰도 두 채점자 점수 간의 상관관계를 포함하고 있는 객관적인 형태. 객관식 평가 참조.

표제(headings) 각 부분의 서두에서 개요에 맞게 강조된 단어를 포함하는 조직 과정을 이끌도록 의도된 교수 기술. 개요, 지시어, 도식 조직자, 조직, 신호 원리 참조.

표준 점수 표준화의 형태로서 평가 점수를 평균치보다 높거나 아래의 표준 편차 수로 바꾸는 것을 말한다. 백분위 점수, 표준화 평가 참조.

표준화 평가 표준화 평가는 해석될 수 있는 평가 점수를 제공하는 것이다. 타당성 평가, 신뢰도 평가, 객관식 평가 참조.

피드백 원리 인간은 그들의 과제 수행에 있어서 설명적 피드백을 받았을 때 더 잘 학습한다는 실제적 연구 결과를 기반으로 한 원리. 공간 원리, 관련 사례 원리, 안내된 발견 원리 참조.

필수적 과부하 요구되는 핵심과정과 기본과정의 양이 학습자의 인지 능력을 초과 하는 학습 시나리오. 근본적 과부하의 문제를 다루기 위해서 중요한 교육 목표는 핵심 과정을 관리하는 것이다. 외생적 인지부하, 생성적 활용 참조.

필수적 정보처리과정 학습내용에 내재하는 복잡성이 원인이 되어 제시된 학습내용을 정신적으로 표상하는 것이 요구되는 학습과정 동안에 요구되는 기본적인 인지 정보처리과정. 외생적 정보처리과정, 생성적 정보처리과정 참조.

학습 학습은 경험에 기인하는 지식의 변화이다. 교수, 평가, 학습과학 참조.

학습과학 학습과학은 어떻게 인간이 학습하는지에 대한 과학적 학문. 평가과학, 교수과학 참조.

학습과학의 적용 학습과학을 적용한다는 것은 인간의 학습을 도와주는 교수를 설계하는 방법에 대해 아는 것을 활용하는 것을 의미한다. 학습과학의 적용은 학습과학과, 교수과학 그리고 평가과학 사이의 상호 관계를 포함한다. 학습과학, 교수과학, 평가과학 참조.

학습 결과 학습 결과는 교육에 의해 야기된 학습자의 지식 변화로 간주된다. (즉, 학습된 것).

학습 곡선 학습에 있어서 보낸 시간(가로축 그래프에 제시되는)과 같은 실천의 측정점수와 시험 성과(세로축에 제시되는)와 같은 학습 결과의 측정 점수 사이의 양적 함수의 관계. 망각 곡선 참조.

한정된 용량 원리 학습과학에서 나온 원리로서 인간은 오직 한 번에 각각의 채널 안에서 적은 양의 학습 내용만을 처리할 수 있다는 것을 말한다. 이중채널 원리, 능동적 정보처리과정 원리 참조.

합리화 기억하는 과정 동안 제시된 학습내용을 친숙한 주제들과 연합하여 재조직하기. 수평화, 첨예화 참조.

행동 습관 군 위계(habit family hierarchy) 학습자는 반응의 선택과 연계된 자극을 가지고 있다고 가정되며 그 연계성들은 이전의 보상과 벌을 기반으로 다양하게 변화하는 힘이라는 학습 메커니즘. 효과의 법칙 참조.

협력 학습 협력 학습은 어떤 한 그룹이 그들 스스로 어려운 문제, 과제 또는 프로젝트를 수행해야 할 때 발생한다. 발견 학습 참조.

형성 평가 진행 중인 수업에서 제대로 수행하고 있는지는 조정함으로써 학습자는 학습한다는 것을 결정하기 위해 수업 중에 의도적으로 이루어지는 평가. 사전 평가, 총괄 평가 참조.

혼합 전이 학습 과제에서 전이 과제까지 일반적 이론과 전략의 전이. 전이, 일반 전이, 특수 전이 참조.

활용기반 기초 연구 이론과 실천에 기여하도록 만들어진 연구로 (예를 들어 학습과학과 교수과학 모두에) 파스퇴르의 사분면으로 언급된 것이다. 응용문제기반 기초 연구 참조.

효과 법칙 E. L. Thorndike에 의해 제안된 학습 원리: "몇 가지 반응은 동일한 상황에서 만들어지며, 이는 동물들의 만족감이 수반되거나 긴밀히 연결되었을때 이루어지며, 다른 조건이 동일하다면 그것이 발생하게 될 것 같은 그 상황과 보다 더 견고하게 연결될 수 있다. 한편, 또 동물들의 불만족이 수반되거나 긴밀히 연결되었을때 다른 조건이 동일하다면, 그 상황은 약하게 연결된다는 것이다. 이러한 약해진 상황이 반복됐을 때 그것들이 일어날 가능성은 적어진다. 행동 습관 군 위계 참조.

효과 크기 효과 크기(d)는 실험 집단의 평균점수에서 통제 집단의 평균점수를 뺀 수치를 두 집단의 평균 표준편차로 나눔으로써 산출된 것으로 실험에서 효과 강도의 측정. 실험 참조.

찾아보기 |

역자 소개

성은모
- 경인교육대학교 교육학과 (교육학사)
- 경인교육대학교 대학원 교육학과 (교육학 석사, 교육방법 전공)
- 서울대학교 대학원 교육학과 (교육학 박사, 교육공학 전공)
- 서울대학교 사범대학 교육연구소 연구원
- 서울대학교 한국인적자원연구센터 선임연구원
- University of California, Santa Barbara 박사 후 연구원
- [현] 한국청소년정책연구원 부연구위원
- e-mail: emsung@nypi.re.kr

임정훈
- 서울교육대학교 교육학과 (교육학사)
- 서울대학교 대학원 교육학과 (교육학 석사, 교육방법 전공)
- 서울대학교 대학원 교육학과 (교육학 박사, 교육공학 전공)
- 서울대학교 사범대학 교육연구소 연구원
- 한국방송통신대학교 원격교육연구소 연구원
- 교육과학기술부 정보화위원회 자문위원
- [현] 인천대학교 사회과학대학 창의인재개발학과 교수
- e-mail: jhleem@incheon.ac.kr

학습과학 원리와 실천적 적용
Applying the Science of Learning

발행일 ㅣ 2012년 9월 1일 초판 발행
저　자 ㅣ Richard E. Mayer
역　자 ㅣ 성은모, 임정훈
발행인 ㅣ 홍진기
발행처 ㅣ 아카데미프레스
주　소 ㅣ 413-756 경기도 파주시 문발동 출판정보산업단지 507-9
전　화 ㅣ 031-947-7389
팩　스 ㅣ 031-947-7698
웹사이트 ㅣ www.academypress.co.kr
이메일 ㅣ info@academypress.co.kr
등록일 ㅣ 2003. 6. 18 제406-2011-000131호
ISBN ㅣ 978-89-97544-17-2 93370

값 12,000원